JN035143

総合判例研究叢書

民　法 (21)

自力救済……………………明石三郎

有　斐　閣

民法・編集委員

谷口知平

有泉　亨

序

フランスにおいて、自由法学の名とともに判例の研究が異常な発達を遂げているのは、その民法典が百五十余年の齢を重ねたからだといわれている。それに比較すると、わが国の諸法典は、まだ若い。最も古いものでも、六、七十年の年月を経たに過ぎない。しかし、わが国の諸法典は、いずれも、近代的法制を全く知らなかつたところに輸入されたものである。そのことを思えば、この六十年の間に極めて重要な判例の変遷があつたであろうことは、容易に想像がつく。事実、わが国の諸法典は、それに関連する判例の研究でこれを補充しなければ、その正確な意味を理解し得ないようになつている。

判例が法源であるかどうかの理論については、今日なお議論の余地があろう。しかし、実際問題として、多くの条項が判例によつてその具体的な意義を明かにされているばかりでなく、判例によつて特殊の制度が創造されている例も、決して少くはない。判例研究の重要なことについては、何人も異議のないことであろう。

判例の創造した特殊の制度の内容を明かにするためにはもちろんのこと、判例によつて明かにされた条項の意義を探るためにも、判例の総合的な研究が必要である。同一の事項についてのすべての判決を探り、取り扱われた事実の微妙な差異に注意しながら、総合的・発展的に研究するのでなければ、判例の研究は、決して終局の目的を達することはできない。そしてそれには、時間をかけた克明な努力を必要とする。

幸なことには、わが国でも、十数年来、そうした研究の必要が感じられ、優れた成果も少くないようになつた。いまや、この成果を集め、足らざるを補ない、欠けたるを充たし、全分野にわたる研究を完成すべき時期に際会している。

かようにして、われわれは、全国の学者を動員し、すでに優れた研究のできているものについては、その補訂を乞い、まだ研究の尽されていないものについては、新たに適任者にお願いして、ここに「総合判例研究叢書」を編むことにした。第一回に発表したものは、各法域に亘る重要な問題のうち、研究成果の比較的早くでき上ると予想されるものである。これに漏れた事項でさらに重要なもののあることは、われわれもよく知つている。やがて、第二回、第三回と編集を継続して、完全な総合判例法の完成を期するつもりである。ここに、編集に当つての所信を述べ、協力される諸学者に深甚の謝意を表するとともに、同学の士の援助を願う次第である。

昭和三十一年五月

編集代表

小野清一郎　宮沢俊義
末川博　我妻栄
中川善之助

凡　例

一　判例の重要なものについては、判旨、事実、上告論旨等を引用し、各件毎に一連番号を附した。

二　判例年月日、巻数、頁数等を示すには、おおむね左の略号を用いた。

大判大五・一一・八民録二二・二〇七七　（大審院判例集）

（大正五年十一月八日、大審院判決、大審院民事判決録二十二輯二〇七七頁）

大判大一四・四・二三刑集四・二六二　（大審院判決録）

最判昭二二・一二・一五刑集一・一・八〇　（最高裁判所判例集）

（昭和二十二年十二月十五日、最高裁判所判決、最高裁判所刑事判例集一巻一号八〇頁）

大判昭二・一二・六新聞二七九一・一五　（法律新聞）

大判昭三・九・二〇評論一八民法五七五　（法律評論）

大判昭四・五・二二裁判例三・刑法五五　（大審院裁判例）

福岡高判昭二六・一二・一四刑集四・一四・二一一四　（高等裁判所判例集）

大阪高判昭二八・七・四下級民集四・七・九七一　（下級裁判所民事裁判例集）

最判昭二八・二・二〇行政例集四・二・二三一　（行政事件裁判例集）

名古屋高判昭二五・五・八特一〇・七〇　（高等裁判所刑事判決特報）

東京高判昭三〇・一〇・二四東京高時報六・二民二四九　（東京高等裁判所判決時報）

札幌高決昭二九・七・二三高裁特報一・二・七一（高等裁判所刑事裁判特報）
前橋地決昭三〇・六・三〇労民集六・四・三八九（労働関係民事裁判例集）

その他に、例えば次のような略語を用いた。

裁判所時報＝裁時　家庭裁判所月報＝家裁月報
判例時報＝判時　判例タイムズ＝判タ

自力救済　明石三郎

自力救済

明石三郎

はしがき

終戦後の混乱期は別として、治安の確立した今日でも、裁判の長期化とも関連し、ややもすれば権利者が自力救済に訴えようとする傾向が目立つ。自己の権利の救済に怯懦である必要はないが、自力救済が安易におこなわるべきでも、許さるべきでもない。そこには一定のルールがなければならないが、わが国にはその明規がないために混乱を生じているといえよう。自力救済は正当防衛や緊急避難と範疇を一つにしないのであるが、判例はややもすればその範囲内でのみとめようとする。

本来ドイツやスイスなどと異なり、明文の規定のないわが国では判例の役割は極めて大きい。わが国の学説は今日ではすべて自力救済を認容するといってよいが、未だ立法するのには賛成せず、専ら判例の積重ねを希望する向きの多い現状ではなおさらといってよい。その判例の分析と動向の把握とを目的とするのが本稿であるが、それはなかなか容易なことではない。しかし今日下級審の判決に相当に明瞭な認容判例がみられるとともに、最高裁判決も漸次その方向にあるといえよう。したがつて、本稿では最高裁のみならず下級裁判決も多くとり入れた。

私はさきに著した「自力救済の研究」において、紙数の関係から判例の研究は本叢書にゆずる旨をのべておいたが、ここに発表の機会を与えられたことを衷心から感謝する。しかし判例の分析や総括の足りない点は大方の御叱正を賜りたい。特に自力救済は要するに、請求権―多くは権利侵害に基因する―の自力保全であつて、権利の種類とともに多岐にわたるわけである。本稿がそれを網羅しえたとは思つていない。なお幾多の貴重な判例を見のがしていないかと憂えている。幸い読者諸賢の御教示を賜わらんことを切望する。

一　総　説

一　自力救済の意義

自己の請求権を保全するについて、官憲の救済あるいは法律手続に頼つていたのでは、後日その請求権の実現が不可能または著しく困難となるおそれがある場合に、それを避けるため、自己の実力によつて、その請求権を保全する行為を自力救済という。本来、自己の請求権の保全であつても、それは法律手続によるべきことは、法治国の大原則であるから、私力を行使することは一応違法ではあるが、ただその事態の緊急性の故に、特に違法性が阻却されるものと解される。これは民法では自力救済と呼ばれ、刑法では自救行為といわれることが多いが、いずれにしても意義は同じである。民法上は不法行為の、刑法上は犯罪行為の、緊急的違法性阻却事由である。一般に広く自力救済といわれる場合に、右の狭義の自力救済のほか、正当防衛（刑三六、民七二〇Ⅰ）と緊急避難（刑三七、民七二〇Ⅱ）をも含ましめることもあるが、通常は正当防衛と緊急避難を除いた狭義の自力救済を意味する。本稿の自力救済もこの狭義のものを指す。自力救済も正当防衛も共に正対不正の関係でおこなわれる点で同一であるが、後者が不正侵害の際に消極的防衛的に反撃行為がなされるのに対し、前者は不正侵害の一応終了した後に、その回復のために、積極的攻撃行為がなされる点において両者が異る。また緊急避難は自然力をも含めて第三者によつて生ぜしめられた現在の危難を避けるための行為で、正対正の関係でおこなわれる点において、自力救済が一般に過去の侵害の回復のための正対不正の関係であるのと異る（これら比較の詳細は、明石・自力救済の研究二八四頁以下参照）。

二　自力救済に関するわが国の規定

わが国にはこれに関する一般的な規定をおいていない。ドイツ民法第一草案を範にとったわが民法であったが、その一八九条（現ドイツ民法二二九）をとり入れなかった理由についてはしるされたものがない。ただわが国では盗賍取還に関する刑法二三八条の規定があり、この反面解釈として、自力救済が一般的に認容されていると説く学者が多い（盗犯防止法一条一項は盗賍取還を正当防衛があったものとするが）。また刑法三五条の「正当行為」の規定を根拠とする者も多い。さらに現行犯逮捕権（刑訴二一三）も根拠とされる。民法では隣地から侵入した樹根の截取権（民二三三II）、自助売却権（民四九七、商五二四）の規定があるが、さらに広く考えれば、相殺権（民五〇五以下）、留置権（民二九五、商五二一など）、同時履行の抗弁権（民五三三）、契約解除権（民五四〇以下など）等も特殊な自救権の規定とみられないこともない。また労働法による労働争議も一種特別の自力救済といえよう。しかしドイツ民法二二九条やスイス債務法五三条二項のような一般的な規定を全く欠いているわが国において、一般的に自力救済が認容されるべきか否かは一応疑問である。そこで学説・判例の間にも対立はあったが、今日では、一定の限度においてこれをみとめるべきだとすることに殆んど一致しているといってよい。しかしその根拠、要件、範囲などについては未だ相当に分れている（詳細は明石・前掲二四八頁以下参照）。わが国にもかつて、改正刑法仮案（昭和一五年）二〇条に「請求権ヲ保全スルニ付相当ノ時期ニ法律上ノ手続ニ依ル救済ヲ受クルコト能ハザル場合ニ於テ其ノ請求権ノ実行ノ不能ト為リ又ハ著シク困難ト為ルコトヲ避クル為自ラ救済スルニ出デタル行為ハ其ノ際ニ於ケル情況ニ照シ相当ナルトキハ罪ト為ラズ。自救行為ガ程度ヲ超エタル場合ニ於テハ情状ニ因リ其ノ刑ヲ減軽又ハ免除スルコトヲ得」と規定した。しかしこのたび作成された改正刑法準備草案（昭和三五年）は、全般的には昭和一五年の仮案を基礎としているにかかわらず、自力救済に関する右の条項は特に削除されているから、ついに規定されるに至らないであろう。しかし、それは自力救済をみとめない趣旨ではないようである（明石・前掲三九頁以下参照）。もつとも請求権の有無など私法的論議を必要とする問題が多いので、規定をおくとすればむしろ民法中に規定するのが妥当であろう。後述のように、外国の立法例でも認容規定を刑法中に規定したものは見当らない（イタリー刑法は禁止規定を有するが）。しかし明規のないわが現行制度のもとで、これをみとめる要件は大体、右刑法仮案二〇条に準拠してよいと思われる。

三　外国の立法例

わが国に明文の規定がないのにかかわらず、自力救済は実際上しばしばおこなわれ、判例上問題となつているが、その場合に、判決文の文言から、外国の立法例が顧慮されていると思われる場合も多い。その外国の立法例の主なものをここにかかげておこう（詳細は明石・前掲一一六頁以下参照）。

（一）　一般的自力救済

(1)　ドイツ民法〔二二九条〕　自力救済の目的をもつて物を収去、破壊または毀損した者もしくは逃走の疑ある義務者を検束した者または忍容の義務ある行為に対する義務者の抵抗を排除した者の加害行為は、適当の時期に官憲の救済を求めることができず、且つ即時にこれをなすのでなければ請求権の実現を不能または著しく困難ならしめるおそれのある場合に於ては、これを不法としない。　同〔二三〇条〕　自力救済は危険の防止に必要な限度を超えることを得ない。物の収去の場合に於ては強制執行をなさない限り、物的仮差押を申請することを要する。義務者の検束の場合には、これを釈放しない限り検束した地の区裁判所に人的保全仮差押を申請することを要する。また義務者は遅滞なくこれを裁判所に引渡すことを要する。仮差押の申請が遅延しまたは却下せられたときは遅滞なく収去物を返還し被検束者を釈放することを要する。同〔二三一条〕違法性を阻却するに必要な要件があると誤認して二二九条にかかげる行為をなした者は、その錯誤が過失に基かない場合に於ても相手方に対して損害賠償の義務を負う。

(2)　スイス債務法〔五二条二項〕　正当なる請求権を保全する目的を以て自力による保護をなす者は、その時の事情に於て、適当の時期に官憲の救済が得られず、且つ自力救済によつてのみその請求権の消滅またはその行使の著しく困難となるのを防止しうる場合には損害賠償の責を負わない。

(3)　中華民国民法〔一五一条〕　自己の権利を保護するために、他人の自由もしくは財産に対して拘束、押収または毀損を為したときは、損害賠償の責を負わない。但し官署の援助を受くるの暇なく、且つその時にこれをなすのでなければ請求権を実行しえないか、またはその実行に明かに困難ある場合に限る。同〔一五二条〕　前条の規定により、他人の自由を拘束し、または他人の財産を押収したときは、即時に官署に対して援助を申請することを要する。前項の申請が却下され、またはその申請が遅延したときは、行為者は損害賠償の責を負うことを要する。

(二)　占有の自力救済

(1)　ドイツ民法〔八五九条二項〕　法の禁ずる私力（占有者の意思に反する占有の侵奪または妨害、八五八条）をもつて占有者から動産を奪つた者があるとき、占有者は即座に、または加害者を追跡して、実力をもつてこれを取戻すことができる。　同〔三項〕 法の禁ずる私力をもつて土地の占有者から占有を奪つた者があるときは、占有者は侵奪後直ちに行為者を排除して占有を回収することができる。　同〔四項〕 占有者は八五八条二項によつて占有の瑕疵を対抗せらるべき者（法の禁ずる私力による瑕疵ある占有の相続人または悪意の特定承継人）に対して同一の権利を有する。

(2) スイス民法〔九二六条二項〕 占有者は物が実力によりもしくは隠秘に侵奪されたときは、不動産ならば行為者を駆逐して奪回し、動産ならば即座に差押え、または直ちに追跡して奪回することができる。同〔三項〕 その場合に、事情により、不相当とみとめられる実力を用いてはならない。

(3) 中華民国民法九六〇条二項、オーストリー民法三四四条、ハンガリー、ブラジルその他の民法にもほぼ同様の規定がある。

(三) 右のほか、加害動物の自力差押権、蜜蜂追跡権、物の捜索引取権、賃貸人および旅館主人の差押権などに関する立法例も多い（明石・前掲参照）。

四　一般的自力救済と特殊的自力救済

官憲の救済をまついとまのない緊急必要の場合に用いられるのが一般的自力救済といわれるものであるが、これに対して、右の「緊急性」の要件を必要としないで、特殊的要件のもとにみとめられる自力救済のことを特殊的自力救済と呼ぶ。前記の占有の自力救済、加害動物の自力差押等々は後者に入る。一般的自力救済は緊急性の故に、特別の規定のないわが国においても、超法規的違法性阻却事由としてみとめらるべきである。特殊的自力救済のみとめられる根拠は権利によつて異る。占有権にもとづく自力救済はその占有権の本質上みとめらるべきものであるし(本書一二頁参照)、侵界樹根の切取権(民二三三Ⅱ)や物の捜索引取権(明石・自力救済の研究一四五、一四八、一九五頁参照)などは、生活の便宜または訴訟経済から、特別規定はなくとも、当然に容認さるべきものと考える。そして一般的に、緊急性の要件は備わつていなくとも、権利の行使の方法が、社会通念上容認される程度を逸脱しない限り、それが自力行使の故をもつて違法とされることはないと解すべきである。この「手段の相当性」は権利の性質によつてもおのずから異つてくるが、もしそれが正当な範囲を逸脱しているときでも、正当な権利行使のための手段であるから、その手段のみを分離して違法性を判断するのが正しいであろう。そして「手段の相当性」は緊急的自力救済の場合も、特殊的自力救済の場合もともに必要であるが、前者の場合には緊急性の故に比較的寛容に、後者においては比較的厳格とならざるを得ない。

五　わが国の学説の傾向

わが国の学説は今日では殆んど挙つて自力救済を肯定する。刑法上において、不作為に対する正当防衛の成立をみとめる立場から、自力救済の内容は正当防衛に含まれるから、自力救済の特別規定を不要だとする学説はあるが(草野「自救行為と刑法改正草案」法学新報四六巻四号五〇九頁以下)、自力救済の行為を否認するものではない。これを独立の違法阻却事由と解する説にも、刑法三五条の「正当業務行為」の一種と解する説と超法規的にみとめうるとする説とに分れる。つぎに、民法においても、占有の自力救済においてはこれをみとめうるとの説が早くからあつた(平野「占有における自力救済」法学志林二七巻五号五四五頁以下、我妻「物権法」(現代法学全集)三六九頁以下など)。一般的自力救済については、殊に戦後においては、民法第一条との関連において、私権の本質論としてこれを論ぜられるに至った。今日では、一般的自力救済と占有の自力救済とが区別され、それぞれみとめらるべきであるとすることは、民法学界の大体の通説といってよい。ただ刑法学界では両者を区別して考えないという よりも、一般的緊急的自力救済だけで足り、占有自救をみとめる必要がないという説が多い（なお学説の詳細は明石・自力救済の研究二四八頁以下参照）。

六　わが国の判例の傾向

従来わが国の判例は、「自救行為ノ如キハ整然タル現時の国家形態ノ下ニ於テハ到底許容セラルベキ権利保護ノ方法ニ非ズ」【46】とか、「刑法第三十六条若クハ第三十七条ノ要件ヲ具備セザル限リ自力救済ノ如キハ法ノ許容セザルコトハ本院判例ノ趣旨トスルトコロ」【71】とか「我国法ハ特定ノ場合ヲ除ク外所謂自力救済ナルモノヲ認メズ」【92】とかいい、これに類似の判旨が多い【27】【34】【58】【80】【89】【104】。むしろ自力救済を自力救済なるが故にこれを否認しようとする傾向が強いといえよう。しかし最近は殊に占有自救については相当寛容な態度をとり、占有自救の故にこれを適法とする例もあり【5】、さらに、自力救済の語は用いなくとも、占有権の本質論により、相当にはっきりと占有自救を容認している例がかなり多い【6】【8】【10】【13】【14】。また占有自救としてみとめるべきところを正当防衛としてみとめた例もある【11】【15】（【11】は自力救済の定義を与えているが）。また全く自力救済を否認するものではなく、事情によっては認容してもよいのだが、具体的事案においては認容できないとする判決もある【9】【38】【39】【59】【82】【91】【96】【105】。このうちでも殊に【82】【105】などは自力救済の要件を明示している。さらに自力救済として容認するというのではないが、犯罪または不法行為の構成要件を欠如することなどを理由として、結果的に自力救済を容認した例は相当に多い。それは後述するように、詐欺、恐喝、窃盗、横領などの利得罪に多くみられる。そのほか【49】【52】【67】【68】【88】【94】などもこれに当る。なお幼児引渡請求については、特に幼児の幸福を優先的に考慮して、手段のみの違法はとも角として、自力奪取の結果をそのまま容認する傾向が強い【100】【101】。

そこで以上のような判例の傾向からみて、果して判例は、一般論として自力救済をみとめる趣旨であるか否か。これについては見解の相違がある。

(1) かつて判例は一般的に否認したが、最近はその態度を緩和し、具体的事情によってはその認容の可能性をみとめるものだ（高橋「自救行為」木村博士還暦論集（上）四八四頁）。(2) 従来の判例と雖も一般論として否認する趣旨とは解しがたい（大塚「自救行為の成否」警察研究二九・三・九九）。(3) 一般論としてもこれをみとめないのが一貫した判例の立場である（井上祐司「自救行為」ジュリスト続判例百選一二九頁）。この理由として、井上助教授は「なぜなら第一に、国家機関に救済を求めるべきで「法ハ」自救をみとめないとして一般論を立論していること。第二に、判例【95】は「正当ナル」自救行為として許されないというが、判例【92】のように、判例は、正当防衛・緊急避難も自救行為を法定したものと観念していると見るべきだから、この点だけから一般論の根拠とみるのは危険である。第三に、判例【82】は自救行為をみとめるようだが仮定的立論をとっているから、真意はこれをみとめぬ趣旨である。第四に、制定法国においては、或る程度、具体的事案の解決を離れて理由をとりあげてよいのでないか」といわれる。

思うに、確かに判例は自力救済の認容には消極的であり、特別の場合には認容されうる如き口ふんを示しながらも正当防衛など明文の規定ある場合に限定しようとする趣旨の底意が散見される。しかし判例の全体を通観してみると、漸次自力救済に道を開こうとする傾向を看取することができる。占有自救については殊に認容例が多くなつているほか、【11】【82】【105】のように、具体的事案の解決としてはみとめなくとも、その中で確かに刑法仮案二〇条一項か、或いはスイス債務法やドイツ民法の規定の趣旨に従つたと思われるような自力救済の定義を与えているような判決は、終戦前には全くみられなかつた。このような現象からして、判例は基本的には認容に傾いているものと解したい。判決が否認している具体的事案を検討してみると、認容説の立場においても、認容すべきでないと思われるものが大部分である。

なお判例は刑事では自力救済の認容に厳格であり、民事では比較的寛容な傾向がみられる。この傾向は名誉毀損に関する【96】と【97】とを比較してみても明かであろう。そして刑事において目的と手段とを分離して犯罪の成否を決める考え方があるが（殊に権利実現のための詐欺、恐喝において学説、判例の分れることは後述する）、民事では特にそれが必要である。けだし民事では単に手続や過程のみを問題とするのではなく、形成された結果を保持せしめるか否かをも問題としなければならないからである。刑事でも結果を問題とするが、結果を通して行為者の反社会性を見るのであり、結果は反社会性認識の手段にすぎない。しかし民事では発生した結果の維持が問題である。たとえば【88】はその典型的な場合である。占有自救でもその例が多い。殊に身分関係（主として幼児引渡が問題となつている）では、自力救済による新事実の形成の過程ないし手続の違法性よりも発生した結果が重要であり、たとい手続が違法でも原状への回復を拒否する場合が多い。したがつて自力救済を比較的寛大にみとめようとすることにもなる。しかし認容判例でも、自力救済としてみとめるのではなく、すべてその結果の認容のために、手段を構成要件的に正当化している場合が多い。

なお、本論稿の叙述の形体としては、本来は自力救済の個々の要件について、判例を分析して当てはめてゆくべきものかと思うが、わが国には未だ法規がなく、したがつて判例としてもまとまつておらない。そこでむしろ特殊的自救の形で出てきた事案についてなされた個々の判旨の中から、自力救済に対する裁判所の態度の傾向をさぐるという方法をとることとした。したがつていささか羅列的なうらみはあろう。

二　占有と自力救済

占有制度が一方では真実の権利の保護、他方では平和秩序維持のため実力的な事実秩序の肯定、という二つの要請の調和の上に成立つているところのその特異な性質から考えると、旧秩序が侵害された直後、新秩序の確立するまでの間の攪乱期においては、真実の権利の自力による救済が当然にみとめられることになるであろう。民法は侵奪後一年内は占有回収の訴によつて回復しうることを規定するが（民二〇〇・二〇一Ⅱ）、この訴によるべきことの要請は、新秩序のやや確立した、いわば暫定期におけるものであつて、侵奪直後の攪乱期には、実力による回復をみとめるのが占有制度の趣旨に合致する。前述のように、ドイツ民法スイス民法などが明文をもつて認容の規定をおいているのもそのためである。

わが民法には全く規定がないが（刑法二三八条の盗贓取還の規定は占有自救の規定とも解されるが）、学説は占有権の本質から、これをみとめるものが多い（明石・前掲二七一頁以下参照）。判例は正面からこれをみとめるものは余り見当らないが、他の規定を駆使して結果的に認容したものは相当にある。

先ず実力による占有回復を結果的に違法としたつぎの判例をあげよう。

【1】 被告（控訴人・上告人、附帯被上告人） Yがその所有する小丸船を自分の店の裏河岸にけい留していたところ、これをAが窃取し（窃盗か横領かの争はあるが。大正八年三月下旬） Bに売却、Bはさらにその事情を知った（悪意の） X（原告）へ売却した（同年三・二六、代金三〇五円）。Yは船頭や人夫らに懸賞つきで探させた。訴外C、Dは同年四月一一日右小舟が浮流するのを発見し、これをY方へ廻漕した。その後（同五・二八） YはこれをEに売却した。Xはその小舟の返還と小舟の占有侵奪による使用不能の期間の損害賠償を請求する。原審はYがXの占有を侵奪したのはみとめるが小舟は売却によって既に滅失したとして返還請求を排斥したが、Xの使用不能による損害賠償をみとめた。Yは上告し、悪意の占有者たるXには果実取得権はないから（民一八九・一九〇参照）損害賠償請求権はないと主張した。

「民法第二百条第一項ノ規定ニ依レバ占有者カ其ノ占有ヲ奪ハレタルトキハ占有回収ノ訴ニ依リ其物ノ返還及ビ損害ノ賠償ヲ請求スルコトヲ得ベク、其ノ占有者ノ善意悪意ハ問フトコロニ非ルヲ以テ悪意ノ占有者ト雖モ尚占有回収ノ訴ヲ以テ占有侵奪者ニ対シ占有ノ侵奪ニ因リテ生ジタル損害ノ賠償ヲ請求スルコトヲ得ルモノト解セザルベカラス、然ラバ原判決ガ上告人ヲ占有侵奪者ナリト認メ之ニ損害ノ賠償義務アリト認ムルニ当リ被上告人ノ占有ノ悪意ナリヤ否ヤヲ判断セザリシハ正当ナリ、而シテ原判決ハ上告人ノ占有侵奪ニヨリ被上告人ガ本件船舶ヲ自ラ使用スルコトヲ得ザリシガ為メニ被上告人ノ蒙リタル損害ノ額ヲ判定シ、之ガ支払ヲ上告人ニ命ジタルモノナルコト原判決理由ニ依リ明ニシテ原判決ハ上告人ノ侵奪ナカリセバ被上告人ノ得ベカリシ占有物ノ果実ヲ基礎トシテ被上告人ノ蒙リタル損害ヲ計算シ、之ガ賠償ヲ上告人ニ命ジタルモノニ非ザルヲ以テ原判決ニハ上告人所論ノ如キ不法ナシ」（棄却）（大判大一三・五・二二民集三・二二五）。

右の判決は種々の問題を含んでいるが、先ず自力救済の点だけを考察すると、(1) 小舟を窃取されて発見するまでに約半月を要しておること、(2) Xが悪意の特定承継人であることの二点である。判決は自力救済の当否について全く触れておらないが、ドイツやスイスの民法ならびにわが国の学説の標準に照し、当然に自力救済の当否が問題となるべき事件と思われる（判例民事法、大正一三年度四六事件、平野評釈参照）。(1)の点については「直ちに追跡」したことになるか否か（独民八五九参照）。Yは窃取されて後、直ちに懸賞までつけて八方に人を派遣して追跡したのであるから、奪回までに半月を要してはいるが、なおそれに該当するものと解すべきものであろう。しかし仮りに占有自救の要件に欠けるとしても（一般的自救としての緊急性要件を充す可能性も充分あるが）、Xからの占有回収訴権が成立するとは限らない。ドイツ民法は、YがAから奪回した場合は勿論、承継されたBやXから奪回した場合についても、そのA・B・XはYがはじめ侵奪されて一年内のYの奪回に対しては、占有回収訴権を有しない旨の規定をおいている（独民八六一Ⅱ）。この場合に、ドイツでは、Yに抗弁権が発生するとの説もあるが、通説はA・B・Xには占有回収訴権が不成立だと解する（乾昭三・「占有の交互侵奪」立命館法学二〇号九一頁参照）。わが民法に規定はないが、学説はやはり二分されている。A・B・Xに占有回収訴権が不成立だとみる説（菅原・法学論叢一二巻四号一〇六頁以下では、YとB・X間について、民法二〇〇条二項を理由とする。我妻・物権法三四六頁は、Yにつき最初の占有が継続したとみる。同旨、舟橋・物権法三二五頁、林・物権法一七七頁と、浅井・物権法論八六頁など）。Yに抗弁権ないし抗弁権的なものをみとめる説（平野・判例民事法大正一三年度四六事件、評釈はYとB・X間につき民法二〇〇条二項を根拠とし、末川・物権法二六二頁はY・A間につき訴訟経済、占有の訴の独立性を根拠とされる。）。しかしいずれにしても、本件判決はこれらの説をみとめず、Xの占有回収訴権を是認するものであるが、学説は右のように、この大審院判決を非難する。しかしただ柚木馨博士だけはこの通説に反対される。すなわち、(1) 奪還が適法な自力救済であれば後の被侵奪者が占有回収訴権を有しないこともちろんであるが、大審院判決の事案はそうでなく、また自力救済の場合はとくに論ずる必要がない。(2) 通説によると、前占有被侵奪者（自力奪還者）が占有回収訴権を有する限り自力救済権ありとすることになり、民法が自力救済を排して裁判上の手続を要求した趣旨は根底において崩れ去る。(3) ドイツ民法の援用はわが民法が意識的にふるいおとしたところだから、妥当でない。(4) 通説は無意識に奪還者が所有者である事実を念頭に置いているようであるが、もし前占有侵奪者（被奪還者）が所有者である場合を仮定すると、これに占有回収の訴をみとめないのは実質的に妥当な解決であるまいとされる（柚木・判例物権法総論三七三頁）。

右の柚木説の(1)について、仮りに占有自救の要件が欠けているとしても、一般的自救の成立しうる可能性は充分にある。けだし浮流する小舟を発見して、この機を逸しては恐らくYの所有権・占有権にもとづく返還請求権の実現は不可能となる危険が多分に感じられるからである。その一般的自救が正当とすれば、その結果はやはりXからの占有回収訴権もみとめられないこととなろう。(2)は理論上問題であるが、平野氏もいわれるように、一年間はYに占有回収訴権があるのだから（民二〇〇・二〇一）、その反面解釈により、Xからの回収請求はみとめられないとすることが訴訟経済に合することである。そしてここでのべておきたいことは、自力救済と占有回収の訴との関係である。Yの自力救済がみとめられないことと、Xの占有回収の訴がみとめられることとは同一ではない。前者は自力救済の違法性が阻却されず、それが不法行為としての賠償責任を生ずる、ということである。後者は回収の訴権が与えられるか否か、ということである。仮りに占有の自力救済としては「直ちに追跡して」という要件に欠けるとして違法となつても（この面で損害賠償責任は生じても）、取得した物を返還しなければならないか否かは別個の問題である。私は、Yに一年内は占有回収訴権が既に成立しておる以上は、訴訟経済の点からXに回収訴権を与えるべきではなく、このことは、たといYの自力救済の結果でなく自然力や無縁の第三者の行為によってYの占有に復帰した場合でも同様に解する。また柚木博士は占有の自力救済のみを念頭におかれているようであるが、これが許されなくとも、一般の自力救済が許される可能性が強い本件では占有回収訴権とは別個にこれの適法性が考えらるべきである。(3)の点につき、日本民法がドイツ民法八六一条二項を意識的にふるい落したという確証はないのであるし、また立法論としてドイツ民法が正しいと思われる。けだし、占有秩序の回復を目的とするのが占有回収の訴であるから、最初に占有回収訴権を有するに至つた者（Y）の相手方（X）は、Yの自力救済の結果回復された占有秩序を、再び乱す結果を招来するような訴権を持ちえないとすることは（Yの違法な自力救済に対する損害賠償の請求は別として）訴訟経済ともなり、Yに占有訴権を与えた立法趣旨に合致するからである（わが民法がもし特にドイツ民法八六一条二項をふるいおとしたとすれば、この意味で当然のこととして不要と考えたのではあるまいかとも思える）。そして右にのべたように、私は最初に占有回収訴権を取得した者に、占有秩序回復の結果を認容するのであるから、その者の所有権の有無とは関係がない。したがつて、(4)の点は理由がない。【2】の判決はこれを物語る。右のように違法な自力救済に対する責任と占有回復の結果の認否とを区別して考えるべきである。

ところが、判例もその後は同様な事件において、すべて被奪回者（前の侵奪者）からの回収請求をみとめない。下級審ではあるが、つぎの判決がある。

【2】 借地人Yは関東大震災によって地上の建物を焼失したが、土地賃借権は失っていないのに、同じく居宅を焼失した地主Xが居宅をその貸地上に建てるため、大正一二年一一月二〇日貸地の周囲に板塀を廻らし、立札を立て、地均しその他建築準備をした。ところがYはXの旅行不在中、同月二八日夜陰に乗じて多数の人夫を使い、板塀や立札を破壊し、用材も大半使用できないまでに破砕した上、Yの建物を建てようとした。Xは警察に申出たところ、警察が建築中止を命じたのに、引続きYの工事を遂行した。Xは建物収去と損害賠償を求めた。

「被告Yは大正一二年九月一日の震災に至る迄原告Xより原告主張の土地を賃借占有して該地上に建物を所有し右震災後も引続き其占有を為したる事実を認むべく更に右証言を綜合すれば、原告は大正一二年一一月二〇日右地上に間口三間奥行拾間余の板塀を廻らし以て被告の右土地に対する占有を侵奪したる事実を認むるに足る。然らば右侵奪未だ一箇年を経過せざる今日被告は原告に対し尚占有回収訴権を有するものなるを以て、原告は被告に対し本訴に於て其占有の保持を請求し得ざるものと謂はざるべからず」（棄却）（東京区判大一三・一二・一二新聞二三五六・四）。

判決は、占有回収訴権を有するものであれば、自力奪回しても、相手方から占有保持ならびに損害賠償請求の訴は起しえないという趣旨のようである。しかし自力奪回が正当な自力救済の要件を充さないときは、違法自救として場合によっては損害賠償の対象とはなりうる。ただ占有保持の訴のみは前述のように起しえないとみる本判示は正しい。

ところで本事案では、地主XがYの占有を侵奪し、八日後にYが奪回しており、適法な占有自救が成立しうると考える。恐らく一般自救も可能であろう。なお本事案は土地所有者からの奪回ではなく賃借人としての占有者からの奪回を適法としていることが注意されてよい。

つぎの判決も交互侵奪について占有回収訴権をみとめない。

【3】　被告YがAより二頭の馬を譲受け、Bに託して飼養せしめていたところ、原告Xはそれに質権を有するからと称してほしいままにそれを曳き去ったので、Yが自力でこれを奪い返した。その「ほしいまま」という意義が裁判所にも明らかではないが、兎も角も原告が先ず被告の占有を侵奪し、被告がこの占有を回復するためにまた侵奪した場合であるとし、原告の回復請求は失当だとする。

「占有者ハ其ノ善意ナルト悪意ナルトヲ問ハズ侵奪セラレタル占有ノ回復ヲ請求スルコトヲ得ベク占有回復ノ訴ハ占有ノ訴ニシテ本権ニ関スル理由ヲ以テ抗弁スルコトヲ得ズト雖モ現ニ占有ヲ侵奪セラレタル原告ノ占有ガ嘗テ侵奪者タル被告ノ占有ヲ侵奪シテ得タルモノナルトキハ、被告ハ原告ニ対シテ占有ノ回復ヲ請求シエタルモノナルガ故ニ、原告ヲシテ占有ヲ回復セシムルトキハ、直チニ又被告ヲシテ其ノ返還ヲ請求セシメザルベカラザル関係ニアリテ、寧ロ初メヨリ原告ノ占有回復ノ訴ヲ許サザルモノトナスヲ妥当ナリトス」（朝鮮高判大一五・一〇・一二評論一五民法一四七）。

つぎにいささか特異な事件であるが、結果的に自力救済が容認されたものに、有名な九官鳥事件がある。

【4】　昭和二年八月三日X宅へ一羽の九官鳥が飛び込み、近所を聞き合せたが飼主が分らないのでそのまま飼っていた。三年後の昭和五年八月Yが巡査三名同道でX宅に来り、Xの妻が拒むに拘らず、右九官鳥を自分のものに違いないとして持去った。そこでXは所有権にもとづく返還請求の訴を起した。その理由は(1)Yが九官鳥を逃がしたのは、昭和三年八月一六日というからX占有の九官鳥とは同一物でありえないこと。(2)民法一九五条における「家畜外ノ動物」に相当するからXに所有権がある、というにある（この訴を起したのはYに奪取されて一カ年以上を経ているので占有回収の訴は起しえない、民二〇一）。一、二審と

もにXの一九五条による所有権をみとめ、Yよりの返還を命じた。ところが大審院はそれを破棄した。

「九官鳥ハ我国ニ於テハ人ニ飼養セラレ其支配ニ服シテ生活スルヲ通常ノ状態トナスコトハ、一般ニ顕著ナル事実ナレバ同条ニ所謂家畜外ノ動物ニ該当セズ（中略）民法一九五条ハ之ヲ無主物ト誤信シテ捕獲占有シタル者ガ逃失ノ時ヨリ一カ月内ニ飼養主ヨリ回復ノ請求ヲ受ケザルトキニ於テ其所有権ヲ取得スベキ旨ヲ規定シタルモノトス。故ニ同条ニ所謂善意ノ占有者タルニハ、捕獲当時無主物ト誤信シタルコトヲ必要トシ飼養主アリト信ジタルモ其何人ナルヤ知ラザル者ノ如キハ同条ニ所謂善意ノ占有者ニ非ズ」（破棄差戻）（大判昭七・二・一六民集一一・一三八）。

この事件は直接には自力救済の認否に関するよりも、訴訟上の技巧に関する問題である。もしXの占有にあるときに、Yが返還請求をしたのであれば、Yは九官鳥の同一性の証拠がないため敗訴になるべきものである。したがつて、Yが実力で先ず目的物の占有を得た上で被告の立場に立つたためYの実力行使（錯覚自救行為）の結果がそのままみとめられたわけである。なお本件は原審（札幌地裁）へ差戻された結果は、Xの陳述は偽りで、Xが九官鳥を捕獲したのは、昭和三年八月Yが逃がした直後であり、九官鳥の同一性もみとめられたので、Yの勝訴が確定した（穂積重遠「有閑法学」五四話）。それにしても、Yが自力救済をおこなつたのは、逃がしてから二年後であるから占有権の自力救済はみとめられない。しかし一般的自力救済としてみとめられる可能性は充分ありえよう（なお、判例民事法昭和七年度一四事件穂積評釈参照）。

つぎは戦後の事件であるが、農地の不法取上げに関連して、土地の占有回復のための自力救済を認容する地裁判決が出ている。

【5】 XはAから昭和二一年二月六日土地を買入れて登記した。Yは既にその前からAより賃借耕作して

いた。三月下旬頃Xは実力を以て耕作地に立入り、耕作を始めた。Yは五月四日に耕作権を放棄すると言明し、六月一日よりXが明渡を受けて耕作した。Yは一〇月二一日に農地調整法の一部改正に藉口してXの土地占有を不法取上げだとして町農地委員会へ農地取上解決の申立をした。二二年六月二四日にYを小作人として土地をYへ返還すべき旨の裁決を得た。これに対しXは同委員会へ異議申立をなした。然し県農地委員会への申立でなかつたので不適法であり、結局、右裁決は一ケ月後の七月二四日に確定した。Yは一〇月一五日右裁決に乗じてXが右土地上に栽培中のネギを抜取り、大根を切る等の行為をなしたので、Xは不法行為に基く損害賠償を請求した。

「XY間には、賃貸借解約の合意は成立していないのであるから、Yは昭和二〇年四月頃から引続き本件耕作地の権原ある賃借人であり、これを占有耕作しえたものと云うべきである……Yが本件耕作地の賃借権に基きXに対して右耕作地の引渡を請求し、以て占有を自己に移すは格別、これに依らずしてXの意思に反して自力を以てその占有を自己に移したことはXの占有を不法に侵害した如き観がないでもないが、……(Xの妨害継続中)Yはその返還を要求し来り、当時Xの植付中の粟の収穫期を待つこととしたが、収穫期に至つてもXは返還を拒み、大根等を植付け頑強に拒否する態度を示したので、已むなく賃借権に基く権利の実行として占有回収を行つた……さればXが土地所有権を取得して占有耕作したのは被告の賃借権に基く適法な占有を侵害して得たものなること、Yが右耕作地の小作人なる旨の前記裁決の確定した後、Yに於て賃借権に基く権利の実行として自力を以てXよりその占有を回収したこと等違法の評価の対立する彼此事情を綜合考量するときはYが既存の占有に基いて従来の占有状態を維持しようとして侵害者であるXの右耕作地の占有が約一年半に亘つたがその支配の未だ確立していなかつた時期に於てその実力行使に対して防衛的実力手段を講じたものであり、前記諸事情の下に於てはYの自力救済による耕作地の占有回収は已むを得ない行為として違法性を阻却し許容せらるべきである」(横浜地判昭二六・四・九下級民集二・四八五)。

判決はYの自力による占有回収をみとめたのであるが、地主Xが自力によつてYの占有を侵奪して一年六ケ月、農地委員会の裁決をえてからでも四ケ月を経てから、Yの自力奪回がなされたわけである。Yが農地委員会へ解約の不当を申立てたのが、Yの侵奪後一年二ケ月を経ていたから、その時既に占有回収訴権は失われており、以後、Yは本権（賃借権）にもとづく占有の返還請求権を有するのみであつたといえる。しかるに、判決が「支配の未だ確立していなかつた時期において」といつているのは、占有自救の要件を明示するものであつて、本件でこれをみとめる趣旨のように受けとれる。しかし一年半の期間を「支配未確立」中だとみとめるのは、占有権の成否或いは占有自救の要件としては甚だ疑問である。また、Yの行為を防衛的実力手段だといつているのも妥当でなかろう。一年半の間を侵害継続中と見て、正当防衛だというのであろうか。それならばまた「自力救済」の語は正当防衛をも含めた広義の自力救済を意味するのであろうか。このように見て来ると、判決の理論は不明瞭な点が多いが、他面、この判決は英法の「不動産占有権の自力奪還」（re-entry）に酷似する。英法では、Xの侵奪に対してYが返還を要求しつづけたところに平穏奪還（peaceful re-entry）が成立し、その後はXの実力で駆逐（expulsion of trespasser）することができる（明石・前掲八九頁参照）。わが民法の解釈としていささか無理と思われるが、一年半、Yが返還を要求しつづけたところにYの占有権の継続をみとめ（民二〇三但書参照）、Yの自力行使は単にその事実上の支配、すなわち、所持の奪回にすぎないと解しえないであろうか。判決が一年半の間を「その支配の未確立」といつたのは、恐らくこのような考え方によるものであろう。なお損害賠償の有無について、植付けた作物の土地への附合の理論をとつた判例理論と対比して興味がある（【67】【68】参照）。本件では附合理論をとれば賠償をみとめねばならないこととなるであろう。しかしともかくも、本判決が占有自救を真正面からみとめようとした点を高く評価したい。つぎに家屋の一部の交互侵奪について、被侵奪者の自力奪回を適法とみとめた判決がある。

【6】　A所有家屋の賃借人Bは家屋の一部をXに転貸した。Xは店の拡張のために、精神薄弱で経済的窮迫のBを脅迫してさらに他の一部の転借を承諾せしめたが、Bは引渡を快しとせず、そのBより救助のため一切を委任された被告Yは、昭和二五年三月一五日Aよりその家屋を買取りBをして居住せしめた。Xは同月二一日その部分で飲食店を開く準備として、Y・Bに無断で造作に着手してそこを占拠したので、YはXに対してその不法をなじり、占有を解くよう通告したが、Xはこれに応ぜず造作工事を続行したため、Yは同四月Xの出入口を釘付けにしてXの占有を排除した。Xは占有回収の訴を起した。

「前記の通りBは原告Xの強要に屈して、係争部分の転貸に一応承諾を与えはしたが……また右転貸借契約が当然無効のものである以上、原告が係争部分の工事に着手しこれを占有したのは、右部分の占有代理人であるBの意思に反するのみならず、右部分を代理占有しているYの意思にも反するものであつて、結局XはYの係争部分に対する占有を不法に侵奪したものであることを認めることができ、……然らばYは係争部分に対する占有をXのため不法に侵奪せられた後、一ケ月も経たぬうちに、自力で原告の占有を排除して再びその部分の占有を回復したこととなるのであるが、本来、Yは占有回収の訴により、Xに対し係争部分の返還を請求しえたのであるから、右占有の回復により、Yの占有は前後継続したこととなり、Yにおいて従前の占有関係の秩序を破壊したものとは言えないわけであり、Xに対し占有回収訴権を有するYに対する関係に於ては、Xの占有は法律の保護に値しないものであつて、XよりYに対する占有回収の訴は許されない」（松江地判昭二六・四・二七下級民集二・五五三）。

右の判決が、占有訴権を有する奪回者に対する関係では、被奪回者は法の保護に値しないとするのは、前の(1)の判決について私ののべた見解に一致するものである。もつとも、約一ケ月後の奪回は占有の自力救済としては適法性につき、やや疑問があろうが、仮りに自力救済として違法だつたとしても、被奪回者に占有回収訴権があるか否かとは別個の問題であることは、(1)の評釈でのべたのと同様である。

つぎに東京高裁の上告審において、小作人による占有の自力救済を、正面からとり上げた判決がある。具体的事案に対しては否認されたけれども、自力救済は要件を充せば認容する趣旨を判示している。

【7】 被上告人Xより土地を賃借耕作していた上告人Yは、昭和二一年八月頃Xによつて実力により侵奪されたが、その後二五年一一月頃に至つて、その取戻を企図し、突如本件土地を掘り起し、木柵などを設けてXの通行を妨害する行動に出た。

「そもそもYがXの侵奪行為の当初において、即時Yの所論耕作権の防衛上止むことを得ず、自力をもつてこれを阻止するため所論行為をなしたというような場合ならば格別であるが（既にXの侵奪より四年以上を経て突如として右行為に出たのであるから）、Xの実力的支配は明かに占有の権利として法の保護の下におかれねばならないことは勿論であり、したがつてYの右の自力救済行為は違法の行為として法の許さざるところである。たとえ、右の場合、Yがその主張するように本件土地につき賃借権を有するものであり、又度々Xに対し予告したことありとしてもかかる事実は毫もYの右自力救済を正当化するものではない。なんとなれば、物に対する或る人の事実的支配が、たとえ、他人の占有を侵奪した結果であるとしても、国家はその一旦成立した事実的支配状態、すなわち占有が妨害又は攪乱されるが如き場合には、占有者に対し、いわゆる占有訴権を与え、法律上の手段によりその他人の妨害又は攪乱行為を排除することを得しめていることは民法の占有権に関する規定上明かであるからである」（東京高判昭二八・一一・二八、東高民時報四・六・一九五）。

結論的には正しい判決である。既に侵奪後四年を経ているから占有の自力救済は不可能であり、またかかる事件では、一般的自力救済も緊急性の要件を充さないのが通常と思われる。そして本判決が「侵害行為の当初において、即時Yの所論耕作権の防衛上止むことを得ず、自力をもつてこれを阻止するため所論行為をなしたというような場合ならば格別」といつているのは、占有権にもとづく自力防衛ないしは自力救済の要件を大体示しているものとして意義が深い。しかし右の文言によれば、むしろ自力防衛の可能性をのべているようである。ただ後に「自力救済」の語が繰返されている前後の関係から見ると、占有の自力救済の許容性をも一般的にみとめているものの如くでもある。自力防衛と自力救済の概念の区別を今少しはつきりしてほしかつた。

つぎの下級審判決も占有の理論として興味がある。

【8】　土地所有者A_1の代理人たるA_2（A_1の実父）よりその土地を借りうけたと称する債務者Y等が講社のための建物（建坪十八坪）を建築すべく昭和二八年一一月一二日に地鎮祭を行つた。その際、本件土地六四坪余のうち約四〇坪について、草をとり砂をまき、シメ縄を張つて清めの式を行い、「笠間稲荷建設敷地」の標識を立てた。それを知つて驚いたA_1は、債権者Xに本件土地の周囲に木柵を設けるよう依頼し、同時にXにこの土地使用を許可した。Xは一二月五日その木柵を施し、右標識やしめ縄などを除去し、両三日後に木材を持込んで土地使用を始めた。その後A_1からこの土地を買受けたとするXと使用権を主張するYとが争いとなり、同二九年三月三日Y等は人夫を使用してXの施した木柵を破り、土地に立入り、Xの木材を片付け、新にYの木材を運び込んで建築にとりかかつた。Xは占有回収のための仮処分を申請した。

「(右の関係では) YがXの占有を侵奪したと見るよりは、むしろXはYの占有を侵奪したものといわざるを得ない。(中略) 従つて更にその後に至り、Y及びその関係者が実力によつてXの支配を奪い、建物の建築にとりかかつたとしても（その実力行使自体は、さきにXの行為と同様、争いある権利関係を一挙に実力をもつて解決しようとするもので、法秩序維持の上から、また社会生活の見地から、ともに甚だしく非難さるべきものであることは多言を要さないところである）Xにおいて、これに対し占有回収の訴により法律上その回復を請求しうべき筋合ではないといわなければならない。（本件は土地に関する占有関係のみについて判断すべく、土地の所有権又は賃借権の有無について考慮の余地なく、従つて仮処分の必要のための疏明は不充分である）」（東京地判昭二九・七・二七下級民集五・七・一一七〇）。

この事件でもしA_2が全くの無権代理人であれば、Yらは善意であつても、A_1の占有を侵奪したことになるのでなかろうか（大判大八・五・一七民録二五・七八〇参照）。そうだとすれば、Yらの処置に驚いてXをして直ちに木柵を設けさせたのは（その間二十三日を経ているからいささか疑問はあるが）、正当なる占有自救とみられそうである。それからYらが三ケ月をも経て奪回したのは、占有自救にはならない。したがつて判決とは反対の結論が出なければならない道理になる。判決は折角、占有自救を理論としてみとめた結果になつているが、その出発点において間違つてXを占有侵奪者だと決めたために結論が反対になつた。もつとも「賃借権の有無について考慮の余地なく」といつているのは、Yの賃借権をいうのか、Xの賃借権をいうのか。Yに賃借権がなくてもよいというのであれば私と同じ結論になるし、「Xに賃借権があるとしても」という意味であれば一応理由はあるが、A_1がXに依頼して木柵を設けさせたのは、A_1の委任にもとづくものであるから、A_1による占有の自救と解すべきであろう。いずれにしても判決の結論には疑問がある。なお判決は実力行使を甚だしく非難すべきものとしている。もし違法自救に対する非難なれば妥当であるが、正当な自救行為についても同様に解するとすれば妥当であるまい。

つぎに労働争議に関して判決がある。

【9】　使用者がロックアウトと称して、工場内の浴場、食堂に残留している争議中の組合員を午前三時頃多数によって、逮捕監禁して外部との連絡を遮断して、寄宿舎と浴場の間に有刺鉄線のバリケードを設置し、寄宿舎や裏門から工場に至る通路を遮断した後、右抑留組合員を工場外に追い出すことによって、工場の占有を、使用者自身の排他的支配下においた。組合から会社のなした遮断施設撤去の仮処分を申請した。

「本件工場に対する所有権及び占有権が……会社のみに排他的に専属するとしても、其保持乃至回収は零りに自力を以てすることを許されないのは労働争議中と雖も変りはない。（中略）ロックアウトの問題とは本来何の関係もない。（右使用者の行為は）「已ムコトヲ得ザルニ出デタル行為」でもなければ「正当ノ業務ニ依ル行為」でないことは勿論、自救行為の要件は全然存しない。

労働者は仮令使用者の委任に基くものとしても適法なる工場の占有者である。決して不法占有者ではない。其者に対する占有の保持又は回収に自力救済の許されないことは勿論暴力によって之を遂行するは如何にしても許されるところではない。会社の本件工場の占有の保持乃至回収は違法である。然れども右違法な占有の保持又は回収を原因として現に一つの既成事実が樹立され、現に一応の新な平和が持続されている。而して占有権とは現在の平穏なる事実に対する一つの仮定的な保護であるとすれば、之を破ることによる旧秩序の回復的紛擾と之を保持することによる平和との利害を勘案し、本件においては遺憾ながら現在の新な一応の秩序を尊重することにする。斯の事は詭弁に響くかもしれぬが、組合に於てスト突入に依り作業供給の受領を拒否している現状と、私物を搬出し終っている現在では、改めて潔癖的に又過多的に正義感を貫く必要はないと考える。仍て主文第一項の如く一応、会社の現在の占有状態を是認し、組合の阻害行為を防止することにした」（神戸地尼崎支決昭三〇・一〇・一〇労民集六・五・六八〇）。

右の判決では、占有権にもとづく自力救済はみとめない趣旨のようである。また労働者は適法な工場の占有者だというが、被用者として占有するのであれば、使用者の占有の機関ないし補助者であって、独立の占有権をもつものではなかろう。そしてその占拠が不法であるかぎり、使用者が占有権にもとづいて直ちに駆逐しうるのは、占有理論としては当然である。しかし事は労働争議に関するから争議理論から解釈すべきであろう。判決が占有理論としては矛盾に満ちているのは、民法の占有理論を単純に争議に適用する無理から生じたものかと考えられる。なお判決が使用者の自力救済を違法としながら、その既成事実を尊重して、組合員の占拠への復旧をみとめないのは、占有理論としても正しいであろう。

つぎに、交互侵奪の場合における占有回収訴権の有無に関する相当にはっきりした高裁判決が出た。

【10】 A寺の住職X_2が大正一五年一月二四日死亡し、幼少の子X_1（原告・控訴人）が成人するまでその叔父Y_2が後任住職となり、X_1が成人し住職の資格をえたときは、これに譲る旨の契約書を作り、一切の寺務にY_2が任じて来たところ、昭和二三年四月三日Y_2死亡し、Y_2の子Y_1（被告・被控訴人）等がなお本件建物に居住している。同年七月三一日X_1は正式に住職に任命された。そこでX_1は同年八月五日Y_1等の意に反して本件建物の占有を排除してこれを占拠したので、Y_1は翌六日X_1の荷物を搬出して占有を奪回した。同九月二七日X_1は再び本件建物に立入り、これを占有した。Y_1は裁判所の仮処分命令を得、その執行として公示書により、X_1による占有妨害を排除すべき旨を明確にした上で、一〇月二五日にY_1は再び自力でX_1の家財道具を持出して占有を奪回した。X_1は占有回収の訴を起した。

「本訴はいわゆる占有訴訟である。（中略）思うに（あるがままの事実状態をあるべき状態の如何を詮索することなく、そのまま保護するのが、平和秩序を保持する占有制度の目的であり、占有訴権のある所以でもあるから）前記の通り、ある物件の占有が交互に侵奪奪還されてきた場合には、当初の占有侵奪者は前にのべた趣旨においていわば社会の秩序と平和を乱すものであつて、その後その占有が相手方に侵奪され、しかも右侵奪が法の許容する自救行為の要件を備えない場合であつても、当初の占有侵奪者（後の被侵奪者）の占有は法の保護に値せず、反つて占有奪還者（後の占有侵奪者）の占有を保護することが、社会の秩序と平和を守るゆえんであるから、当初の占有侵奪者（後の占有被侵奪者）は占有訴権を有しないものと解するを相当とする。もつとも占有侵奪者の占有であつても、それが時の経過により攪乱状態が平静に帰し、社会一般が侵奪者において占有していることを以て新たな社会的秩序であると認めるに至るなどの特殊の事情ある場合には、占有侵奪者もその時から占有訴権を取得するものと解せられる。本件について考えて見るに、前認定のとおりY_1は亡父死亡後も引続いて平静に本件建物に居住占有していたところ、その意思によらないでX_1のため右占有を侵奪され、一旦これを奪還したけれども再びX_1に侵奪されて、さらにこれを奪還したのであつて、X_1の右侵奪による占有状態が平静に帰したとみとめるに足る何等の証拠の存しない本件にあつては、X_1は当初の平静な占有の侵奪者であるから、占有訴権を有しないものといわなければならない」（東京高判昭三一・一〇・三〇・民集九・一〇・六二六）。

この判決は二つの重要な点を含んでいる。一つは、最初の占有侵奪者は社会の秩序、平和を乱したのだから、たとい違法な自力救済によつて奪回されても、占有訴権を有しない。二には、但しその侵奪占有が時を経て平静に帰した後は、その時から占有の保護をうける。この第一点は、判例【1】の解説でのべたように、奪回の自力救済が違法か否かということと、被奪回者に占有回収訴権をみとめるか否かということとは別であることを明言したものであつて全く同感である。しかしもしこの判決が自力救済の違法であることの責任までも否定しようとするのであれば賛しえない。第二点も賛成である。これは逆にいえば、本件のように占有が侵奪されてその攪乱状態の間に奪回すれば、被奪回者は占有回収訴権を有しないということである。それでは判決が「法の許容する自救行為の要件を備えない場合であつても」というのは何を意味するのであろうか。本件事案が、それに当る意味だともとれる。確かにX_1の二回目の侵奪からY_1の二回目の奪回の間に二十八日を経ておるから占有自救としては無理であり、また仮処分命令を得ており、一般自救の要件も疑わしい。したがつてこの意味では判決は正しいであろう。しかし「攪乱状態が平静に帰し……」の語よりみると右の期間はなお攪乱状態にあると認定されているものとも考えられるが、それなら攪乱状態の間における自力奪回でも正当な占有自救とみとめない趣旨であろうか。もしそうであれば、この点は賛しえない。いずれにしても正当な自救行為の要件を明示してほしかつた。

つぎにいわゆる「梅田村事件」というのがあり、自力救済を否定した地裁判決に対して大阪高裁がこれを認容した。但し判決は正当防衛だとする。

【11】　これは終戦直後の混乱時に、大阪駅前の土一升金一升といわれる地域の土地一六〇坪に関して生じた争である。土地所有者Yが復員してA銀行に賃貸したところ、これに対してXが既に二一年一二月以降Yから月一五万円で賃借し、権利金一三万円を支払つているから既得権があると主張する。勿論、このXY間の賃貸借の成立を立証する根拠はないのにかかわらず、Xは昭和二七年一二月二五日の夜半にこの土地上に計画的なバラックを急造した。これは同月二八日以後は官庁が休暇となるため、Yが権利保全のための仮処分手続を実行することの不可能となることを見越してのXの行為だつたと推測される。そこで、Yらは四十数名を動員して、同一二月二九日右バラック（店舗一四戸一棟でXが三五万円を費して建設したもの）を破

壊した。Yらは建造物毀損罪で起訴されたが、Yは自力救済ないし正当防衛だと主張した。

〔第一審判決〕「（前略）成程各証拠を検討すると被害者Xの行動も甚だ穏当を欠くものがあるようである。しかし本件バラックの敷地についてはXがかねて借地権の存在を強硬に主張しており且つ同人の日頃の言動からして権利の公権的確定を待たないでバラックを構築するという様な矯激な挙に出るかもしれないことは被告人等の当然予期しえたところであることも本件各証拠から容易に看取できる。したがってXの行為が仮に不正の侵害であるとしても之を急迫の侵害と断ずることは困難である。又被告人Yが法の手続による救済を待つことにより被告人Y等の主張する様な不利益があることは想像に難くないけれども、現行法が私権の行使保護につき厳格詳細な規定を設け妄に実力行使を認めない建前からして被告人Y等の主張する程度の不利益は之を甘受せねばならないのは止むを得ないことと考える。蓋ししからざれば土地建物の争に関する限り民事訴訟法の定める仮処分の規定等は殆どその意味をなさなくなるであろうから」（大阪地判昭三一・五・一六）。

これに対してYらは、(1) Xらの行為は急迫不正の侵害だから正当防衛が成立する。(2) 法律上の手続によりえない場合であるから自救行為を肯定すべきである、として控訴した。

〔控訴審判決〕「そこで本件を目して正当防衛または自救行為であるとすることができるかどうかについて検討するに、およそ正当防衛は刑法第三六条が規定するように「急迫不正の侵害を防衛するに出でた」行為で、加害防衛の急迫であり、自救行為は刑法上明文はないが、侵害の回復について国権の保護を求める遑がなく、猶予すると権利実現が不能となる急迫状態においてとられる行為で被害救済の急迫である。すなわち、前者においては防衛の対象となる侵害行為は急迫不正に加えられた積極的な性質を有し、後者においては救済の対象となる侵害行為は、既存の侵害を除去しないという消極的な性質を有するものと解してよい。そこで本件においては、そのいずれに該当する事態が存在するであろうか。

記録に照して事案を観察するに、（中略）Xの該バラック建造行為は、自己が何等権利のない他人の土地上に、故意に且つ積極的に（すなわち、従前有していた権利を喪失したがために不法占拠となったような消極的な場合と異り）折柄官庁の休日がつづくのを見越して、突如隠秘的に行つたものと認められ、それは正しく急迫不正に他人の土地所有権を侵害したものと云つてよい。そして原判決は「その行為を当然予期しえたから急迫な侵害と認められない」というが、正当権利者において、事前に種々費用を投じて侵害防止のため万般の処置を講じておかなければ、不正の侵害に対して正当防衛を主張しえないという法理は存しない。（中略）官庁のつづく休日直前を狙い、一夜にして土地の不法占拠を現出せしめ（中略）本件バラックを即刻撤去しなければ爾後他人がそれを使用し、或いはそれを補強改修して愈々土地所有者の権利回復は困難となる事情にあつたのであるから、Yらは即刻に自己の権利防衛の処置を執るよりほかなかつたのである。原判決の論ずるように、早晩仮処分による救済の方法がないことはないにしても、それによる救済だけでは不十分であり、必ずしもそれに頼らなければならないといえない。すなわち、加害者の行為は不法な目的を達するためのみであり、しかも被害者がそれを合法的に排除することの至難であることを見越して敢てかかる不法な侵害を敢行する場合においても、被害者は合法的な救済を仰げる時期まで手を拱いて待つていなければならないものとするならば、それは全く不正に味方するものであつて、法の本質たる正義に反するものといわねばならない。（中略）本件建造物は（中略）全く文字通り一夜造りのものであつて建物としての価値を云々するよりも単に建築材料を組み合した程度にすぎないものであるから、これを取毀したことは被害者としては必要已むを得ないことであつたと認めるのが相当である。不法な事実状態であつても時の経過によつて既成事実として法の保護を受けることのあることは否定できないけれども、本件は既成事実として未だ法による保護に値しないものといわざるを得ない。従つて本件Xの侵害行為に対してこれを急迫不正の侵害とし被告人Y等が本件行為に及んだのは正しく正当防衛に当り、しかもその限度も超過したものとは認められない」（破棄自判）（大阪高判昭三一・一二・一一刑集九・一二・二六三）。

これは自力救済に関する興味深い事件である。控訴判決は正当防衛と自救行為の定義をのべているが、ここに定義された自救行為は一般的自救行為であつて、占有自救には全くふれていない。本件の事案はまさに占有自救の典型的な場合であるのにかかわらず、判決は結局、正当防衛として解決している。自救行為の要件を充さないと積極的にはのべていないが、その意味らしい。自救行為の急迫は「被害救済の急迫であり、侵害行為は消極的だ」、すなわち不作為だとし、これに反し「Xの行為は積極的」だからYの実力行使は正当防衛だという。しかも侵害の「消極的」とは、「従前有していた権利を喪失したがために不法占拠となつたような消極的な場合」というが、その意味は必ずしも明かでない。もし侵害が既成した後の救済という意味であれば正しいが、たとえば賃貸借終了後の賃借人の不法占有の如きのみをいうとすれば一面的のそしりを免れない。判示は前者と解したい。バラック建築によつて侵害は現に継続しているから、現在の急迫な侵害があるとして正当防衛が成立するともいえるようであるが、土地の事実上の支配はXに移つており侵害は既に完了しているから、Yの行為は判決のいう被害救済であつて、単なる防衛ではない。新な攻撃だといえる（もつとも草野氏の説かれるように、不作為に対しても正当防衛が成立するとの見解をとればいずれにしても正当防衛となる。草野「自救行為と刑法改正案」法学新報四六・五二六参照）。バラック建設後、四日を経過している以上は後者に解するのが妥当である。判決が「正当防衛とは加害防衛だ」といいながら「土地所有権者の権利回復は困難」といい、Xの侵害が過去のものであることをみとめているのは、理論的には矛盾である。草野博士とは異り、不作為に対しては自救行為が成立することを認めておきながら、右のような結論になるのは、やはり、一方では、盗賍取還が正当防衛か自力救済かについて学説が分れているのもそれによるのだが、自力救済、殊に「占有の自力救済」に対する理解の不足によるとともに、他方では明規のない自救行為をみとめるのに些か躊躇を感ずるためであろう。しかしそれにしても緊急的自救行為の要件を示して認容を判示したことと、ややもすれば実力行使の認容に対して消極的な裁判所が、仮処分規定の存在を無視して、時宜に適した実力行使認容の判決を下したその勇断に敬意を表する。仮処分の制度はあつても、その実効は疑わしく、先ずこちらが占有を取得して被告に廻つた方が訴訟技術上非常に有利であることは周知である。実力行使による秩序の攪乱をおそれるの余り、正しい実力行使を否定するのは却つて「不正に味方」して無法の横暴をみとめるものである。なお、刑法学者は本件を自救行為として解するようであるが、それも一般自救としてであり、占有自救を論ずるものはない（藤木「自救行為」判例演習（刑法総論）七七頁、特に、前田・不動産窃盗の実証的研究一二頁以下は本件の解説が詳細である）。しかし本件は正当防衛と占有自救とが競合して成立しうるものと解される。

つぎに右の事案に類似する事件において、同じく正当防衛をもつて論ずる高裁判決がある。

【12】　XとYとの土地の境界争いであるが、両者は測量もし図面によつて境界を画定しておきながら、Xはそれに反しYの土地に約一尺侵入した個所に二回も板塀を設置せんとしてYの制止に会つたが、三回目は五尺五寸侵入して約四間板塀を設置し、後一間で完成するという時にYが現場に急行し、幅約四尺の部分の板塀（古戸板一枚および七寸の薄板一枚）をYが自力で剝ぎとつた。これが器物損壊罪に間擬され、原審でXは正当防衛を主張していれられず有罪となつたが、控訴したところ原判決が破棄された。

「原判決は右Xの行為はYの宅地所有権を侵害したものとは認め難いのみならず、仮りに同人がY所有の前記宅地内に侵入して板塀を設置したとしても、同人において任意にこれを除去しない限り法律上の手続によりこれが救済を求めるべきであつて、Y自ら剝ぎとるなどして損壊することは法律秩序維持の上から許さないところであり、またYの右行為が正当防衛の要件である已むを得ない行為に該当するものとは認めることはできないとなすけれども、右Xの所為が急迫不正の侵害であることは前認定のとおりであつて、直ちにこれを制止せず放置しておくならば、前後数時間にして全長約五間に及ぶ板塀は完成し、これが既成事実となつて、Yは土地所有権を侵害され、たやすく回復し難い損害を被るのみならず、不動産侵奪罪などの刑罰規定の制定なき当時にあつては警察官憲の助力を求める術もなく、しかも常に必ず仮処分その他の民事訴訟法による法律上の手続によらねばならぬとせば、不法に権利侵害に甘んぜよというに等しく、一方において悪事を看過しこれを奨励するもののごとくであり、条理にも反するものというべく、しかも（Yの行為は僅か四尺位の板塀）を剝ぎとつたに過ぎず、その被害はまことに軽微であるから……正当防衛に該当する」（破棄自判）（東京高判昭三五・九・二七刑集一三・七・五二六）。

またつぎの事件は特に占有自救の典型と考えられる。判例も結果的に認容。

【13】　皮革商Aはその所有する住宅を、債権者（原告）Xの債権弁済のため他へ抵当に入れると称しつつ、他へ売却し、転々して現在の所有者Yのために立退き、しかもXへは弁済もしないので、XはAの立退後三日目（昭和三〇年一一月三日）に、その家屋を占拠するため、Yの反対を押しきり、マッチの梱包を搬入した。Yもその床下へ下駄などの梱包を搬入した。その後Xは雇人C、Xの義姉X′を居住せしめた。Yは同月五日実力でXの商品を搬出し、同月七日にはX′を部屋より追出し、Cには金銭をやつて退去させ、Yの荷物をそこに搬入した。そこでXより占有回収の訴を提起した。

「債権者XはAに対する貸金の回収をはかる目的のためYが買い受け占有を取得した本件建物にYの異議を無視して強引にマッチの梱包を搬入し又留守番を送り込んでYの占有を侵奪したものというべきである。Yがこれに対し実力をもつて本件建物を奪いかえしたのは、その方法に穏当を欠き遺憾であるが、上記認定のとおり、Xの本件建物に対する支配の方法がYの占有を奪つたものであり、且又その占有継続が極く短期間でYとの関係において事実支配がいまだ安定した生活秩序を作出するに至つていない本件において、Yに対し占有権を侵奪されたと主張しうる筋合でない（すなわちXの事実支配は占有権として保護に値しない）」（東京地判昭三一・八・一〇判時一三〇・二〇）。

本件の判示は「占有自救」の語は用いていないが、それを前提としている。一般的金銭債権のほか物権もないXが、家屋の新所有者Yの占有を排除し、「いまだ安定した生活秩序を作出するに至つていない」二日後に、Yが奪回したのであるから、Yの占有自救が正当に成立つものと考える。

つぎに右と類似した事案に対して同趣旨の判決がある。ただこれにおいては、占有回収の訴の原告が、必ずしも占有侵奪者とはみとめられず、占有妨害者程度のものである。

【14】 Aの妻A′はその所有の本件建物（離れ）を譲受けたとして明渡を要求するB、Xらと争つていたが、Aは昭和二九年一二月本件建物に施錠して人の出入ができないようにしていたところ、同三〇年一月上旬BやXらが無断で蝶番をとりはずして侵入し、応接セットや荷物を持込んだ。Aは旅行中その連絡をうけたので数日後に帰京し、Xらの荷物を入れたまま再び蝶番を新に打ちつけなどして閉鎖した。Aは三〇年五月にこの建物をYに賃貸し、Yがこれを使用するに至るまで誰もここに入らなかつた。XはYに対して占有回収の訴を起した。

「(本件建物は本来、Aの占有にあつたのであり、Xらは一時応接セット等を持込んだにすぎず、これによつてXらが新たな占有を取得したとはいえず、一時的妨害行為の範囲を出でないから、Xらの占有を前提とする回収の訴が既に失当であるが、仮りに、Xらが右行為によつて占有を取得したと見るも、その占有はAの占有を侵奪してえたもので、Aが再び施錠したのは、Aの占有の回復にほかならない。) 占有侵奪者の占有であつても、その占有が時の経過により又は占有の公然性によつて事実上の社会的対物秩序としてすでに確立されたものと認むべき場合にはそれが被侵奪者によつて再び侵奪され、回収された場合でもなお占有回収の訴による保護を受けうべきものと解するのが相当だろうが、本件の場合には前段認定のように被控訴人Xらの占有期間は僅か数日間の短期間であり、しかも空室に物件を搬入しただけで事実上これを使用していたわけでもなく、その占有と称すべきものは強暴隠秘な占有にすぎないのであるから、Xの占有は社会的な対物秩序としてすでに確立したものとはいいがたい。従つてその占有が被侵奪者たるAによつて再び侵奪されたからといつて、占有回収訴権によつてXを保護すべき必要はないものといわねばならない」（東京地判昭三三・八・五下級民集九・八・一五一九）。

ここでも「占有自救」の語は用いられていないが「時の経過により」「僅か数日の期間」などの語を用い、攪乱期の奪回について、占有回収訴権をみとめないのは、占有理論を通して、結論的に占有自救をみとめたわけである。これらをみても、占有自救は占有理論の必然的な結果であるともいえるのではなかろうか。判例もこのあたりで、ドイツやスイスの民法との比較的解釈や占有の本質論から、占有自救の語をはつきり用いてみてはどうであろうか。既に相当に判例が積みかさねられてきて、実質的には占有自救がみとめられるに至つたといえよう。

つぎの高裁判決も事案は梅田村事件に酷似し、正当防衛として無罪とする。本質は自力救済である。

【15】　被告人YはXから借地して工場を建築し会社を経営していたが、地主XはYがかつて前地主Aに対し賃料を延滞したことがあるのを口実として、Yの賃借権は消滅していると称して明渡を求めた。Yが明渡を拒否したので、公道に至る通路上にXは無断で立入り、六坪ほどのバラックを建てた。Yはその建設中に警察に訴えたので、警察からは犯罪となる旨を警告したが、Xは工事を止めずに完成してしまつた。Yは再度警察に訴えたが、警察は民事事件だとして介入を躊躇したので、YはXの入居をおそれ、直ちに自力でバラックを撤去した。Xは正当防衛または自救行為だとして無罪を主張した。一審（岐阜地裁）でYは有罪となつたようであるが、二審では原判決を破棄自判し正当防衛として無罪を言渡した。

「㈠　Xの行為はYの借地権、営業権侵害の不正行為である。㈡　Yは右建築によつて営業は麻痺状態におとし入れられることは明かだから、侵害は急迫である。㈢　Xが右家屋を建設するについて、それほど緊急な必要性があつたとはおもわれない……警察官がかかる犯行に対し確乎たる処置をとらなかつたのは遺憾に堪えないが……Yが事態のかくなる以上は、もはやいつなん時Xが右建物に入居するやもはかりがたいし、そうなつてからでは同人のため既成事実を楯にとられ、仮処分その他の民事訴訟によるも、その権利の回復はますます困難に陥るべきことを憂慮するの余り、ついに実力をもつて本件建物を解体撤去するに至つたのであるから、Yとしてはまことに已むことを得なかつたものと認められる。もちろんかかる場合断行仮処分による救済を求めることは原判示のとおりであるが、これとても被告人が入居してしまえば果してどの程度の救済がえられるかもわからないし、ことにかような悪質な住居侵入業務妨害等の犯罪行為すら成立することの明な案件において警察力の行使という、もつとも手近な迅速にして強力な救済手段が求められているのに、その目的が達しえられない場合でも、被害者がその焦眉の急に対して民事訴訟という比較的に時間と労力と費用を要するいわばより手ぬるい手段にのみ頼つて、その犯罪行為を拱手傍観していなければならぬものと解すべきでない。㈣本件家屋は僅か四万円のものでYの被る損害と比較すべくもない。」したがつて、被告人が本件家屋を解体、撤去したことは所論の如くまさに刑法第三十六条第一項のいわゆる急迫不正の侵害に対し已むことを得ざるにいでたる行為にあたるものというべく、論旨は理由があり、原判決はとうてい破棄を免れない（破棄自判）（名古屋高判昭三六・三・一四判時二六三・八六二三）。

この事件も、被告人Yが正当防衛または自救行為を主張したのに対して、裁判所はやはり自救行為はみとめず、正当防衛として無罪とした。無罪の結論は正しいが、やはり自救行為とすべきだと思われる。不動産に対する占有の侵害は完了しているのだから、防衛でなく救済が成立すると解する。判決は現行法に根拠を求めようとしたのであろう。判決が「権利の回復が益々困難となる」というのは、不作為に対する正当防衛をみとめる意であろうか。そして断行仮処分もXの入居後では効果がおぼつかないこと、民事訴訟が「時間と労力と費用とを要する手ぬるい手段」だと裁判所みずから認めているのは、些か自嘲的な感じすら与えるが、これは訴訟制度のあり方、自救行為の認否などに関連して重大な発言といえよう。また判決は警察官の「断乎たる処置」を要望しているが「民事事件不介入の原則」によつて警官が躊躇するため、市民は実際に公憤を感ずることが多い。本件でXの行為は住居侵入罪や営業妨害罪になるであろうから、警官が介入できない筈はなかろう。無法の横行を禁圧するための公力が薄弱なことは、止むをえない自力救済の発生を誘発し、それが社会の秩序を乱すこともなるのであるから、一方では訴訟の促進とともに、市民に最も身近かな警官の適宜に勇敢な処置が望ましい。なお、本判決は同高裁がさきになした判決【81】を修正したことにはならないのであろうか。

つぎに盗難品の取戻しのため、窃取した疑惑のある者に対する暴行脅迫を犯罪だとする判決がある。

【16】「被告人YY′が原判示のように、被害者XがYの大豆入りリュックサック一個を持去つたとの疑念を抱く十分な根拠があり、現に右リュックサックがX方附近で発見されたのであり、このような場合、被害者について事実の有無を問い、その返還を求めることは法の禁止するところではないが、社会通念上許された限度を超え、原判示のように、仲間数名と共に、X宅に行き、多衆の威力を示すと共に脅迫的言辞態度を示した上、暴行を加えることの許されないことは当然である。従つて、Xから右リュックサックの返還を受ける権利があることから、本件行為が所謂自救行為として犯罪とならないということは到底できない（本件は現行犯人の逮捕や現行犯人から盗品の取戻をする場合と全然異る場合であることは記録上明かである。）」（東京高判昭二七・五・三〇特三四・四八）。

これは疑惑があるにすぎないものに対する暴行脅迫だから、違法性が阻却されないものであろうが、真実の盗人に対する行為であれば勿論、盗人でなくとも疑惑をもつに充分であるとすれば　被告の焦慮した点をも考慮して判断すべきであろう。

つぎに、交互侵奪についてかなり異色な理論を展開する下級審判決がある。

【17】「民法第二〇〇条にいう「占有の侵奪」といいうるためには、右事実的支配者の意思に反して、その支配状態によつて形成せられている既定の平和秩序を破壊するものとして非難するに値する反社会的違法行為でなければならない。これは同条に「侵奪」という表現をしていることや占有訴権を認めた法意からも明らかである。通常は占有者の意思に反して、その占有を移転した場合は、特別の事情のない限り、その行為自体で、占有によつて既に形成せられている平和的社会秩序を攪乱する反社会的違法行為と目されるので、多くは占有回収訴権が認められる。しかしそれは、占有者の意思に反したという一点、またはもとの占有状態を保護するというだけで占有回収訴権が認められるのではなく、その占有移転行為自体が反社会的違法性を帯有すると認められるからである。占有者の意思を尊重して占有回収訴権を認めるものでないことは、占有回収訴権を認めた法意からも容易に首肯できよう。また本来占有という事実状態そのものを保護しようとする趣旨であるなら、旧占有者から新占有者に占有が移転した以上、新占有者の下における事実的支配状態も保護せねばならない筋合である。ただそのことを徹底せしめると、右占有移転が反社会的違法な行為によつて行なわれた場合、その反社会的違法行為を是認するの結果となり、却つて社会の平和的秩序を乱し、占有訴権を認める制度本来の趣旨に反することとなるからこそ、旧占有者に占有回収訴権を認めるのである。このことは甲の占有を違法に侵奪して取得した乙の占有を更に甲が違法に侵奪したとき、乙は占有回収訴権を行使できないとする判例学説（松江地判昭二六・四・二七、津地判昭二九・七・二六、東京地判昭三三・八・五、東京高判昭三一・一〇・三一、また大判大一三・五・二二も肯定のようである）も、その説明の理こそ異るが、甲の侵奪行為に反価値的違法性が結局において認め難いという意味において、その結論が是認できる。また正当なる権利者は自力を以て現占有者の占有を侵奪しなければ、後になつて公権力によつて正当なる権利を実現することが不可能か、または極めて困難になるというような切迫した事情の存する場

合には自力救済行為として、その占有を奪還できるとする一般学説（通説）も、その占有移転行為に反価値的違法性が阻却されると解されるからである。従って、甲占有者の占有をその意思に反して乙者の占有に移したからといっても、その移転行為自体の反価値的違法性の深浅、甲占有者によって形成せられている平和的社会秩序破壊の程度、甲乙占有者の利害得失、その他諸般の事情を考慮に入れて、甲に占有回収の訴権を与えるべきか否かを客観的に判断されねばならない。であるから、もし右移転行為にして反価値的違法性がないか、またあっても、その程度が極めて軽微であり、甲占有者によって形成せられている平和的社会秩序の破壊程度が至って低く、甲が占有を失うことによって蒙る損害が乙が占有を返還することによって蒙る損害より遥かに少い等その他被奪取者に奪取されたことを甘受せしめるのが相当と認められる事情等がある場合には、たとえ旧占有者の意思に反していても、右占有移転行為は、いまだ民法第二〇〇条にいう「侵奪」に該当しないと解さなければならない。わけても、甲の占有移転行為が、自己の正当なる権利行使の結果なされたものであるときは、それが自力救済を認められる要件に該当しない場合であっても、慎重に検討されねばならない」（越谷簡判昭三六・二・八下級民集一二・二五七）。

この判決は占有自救と一般的緊急自救とを混同した立論であるが、占有回収訴権の許否について、法益均衡論並びに反社会的違法性論をもち出している点に特色がある。この点についてはいささか疑義があるが相当突込んだ論述である点に敬意を表したい。

三　詐欺・恐喝などと自力救済

一　概　説

債権その他請求権にもとづいて弁済を督促する場合に、義務者と交渉しているうちに、つい感情がたかぶり、その手段の度がすぎて、営業妨害、恐喝、詐欺などの域に達することはありがちなことである（今日、合法的な紛争解決方式の欠陥も手伝つて、この種の事件が極めて多い。広中「市民の権利の確保と民事裁判」法律時報三二・一〇・一〇の二参照）。その場合の事情によつて或る程度の威嚇や欺罔の手段も許されなければならないであろう。これは一種の特殊的自力救済と考えられるが、従来、正当な請求権行使の手段としての詐欺、恐喝は、犯罪の構成要件それ自体を欠くのでないかという、刑法上の議論として非常に争いのあるところである。本来、利得罪である詐欺・恐喝罪では正当な額の範囲内では違法性がないとも考えられる。そしてまた少くとも目的は正しいのであるから、手段が度を過ぎておれば手段のみの違法を問いうるにすぎないとも考えられる。まず判例においては非常に変遷がある。(1) 常に全額について詐欺罪または恐喝罪が成立するとしたもの（大判明三五・六・一二刑録八・九三、同明四三・二・一七刑録一六・二七一、同明四三・二・二二刑録一六・三〇〇、同大元・一一・二六刑録一八・一四二八、大五・三・八刑録二二・三三八、大一四・五・四刑集四・三〇八など）。(2) ところが当時においてこれらの判決と並行して、騙取または喝取の額が権利の範囲内であれば一般に犯罪は成立しないとされており、最近までこの考えが続いている（大判明三九・四・一〇刑録一二・四三六、同明四一・九・一八刑録一四・七六九、大刑聯判大二・一二・二三刑録一九・一五〇五、大判昭九・八・二刑集一三・一〇一一、広島高判昭二七・二・二三特二〇・五〇。なお最判昭二七・三・七刑集六・四五〇は本事案では恐喝罪成立するも権利の実行であれば不成立だとする）。また、(3) それが正当な権利の範囲を超えたときは、その財物または利益が法律上可分であれば超過部分についてのみ（前記大刑聯判のほか、大判大一五・二・二評論一五刑一六五）、不可分であれば全部について詐欺罪または恐喝罪が成立する（前記大刑聯判のほか、大判大五・三・八刑録二二・三三八）。つぎに、(4) 正当な権利は有していても、これを正当に実行する意思ではなく、名を権利行使に仮託し、不当な額について詐欺または恐喝する場合は、全額について、詐欺罪または恐喝罪が成立する（前記大刑聯判のほか、大判明四五・三・一四刑録一八・三三七、同大三・四・二九刑録二〇・六七三、大決大一三・三・五刑集三・一七八、大判大一三・九・二六刑集一二・七三五、同昭九・五・二八刑集一三・六七九、同昭一〇・五・三〇刑集一四・六四五など）。つぎには、(5) 手段が社会観念上みとめうべき限度を逸脱した場合は、その手段のみを分離して脅迫罪その他の犯罪とすべきであるが、全体として恐喝罪を成立せしむべきでないというものが出てきた（大判大一三・一一・二九新聞二三三七・二二、同昭五・五・二六刑集九・三四四、福岡高判昭二四・一〇・六特一・二四七、最判昭二六・六・一刑集五・一二二二、同昭二七・三・二五裁判集刑六二・六五四、名古屋高金沢支判昭二八・七・一一特三三・一三七、なお最判昭二七・五・二〇裁判集刑六四・五七五は「恐喝罪または脅迫罪、少くも脅迫罪は成立する」としてやや曖昧である）。

(6)　ところが最近では、権利実行の手段が社会通念上認容すべきものとみとめられる程度を逸脱したときは、債権額の如何にかかわらず全額について恐喝罪が成立する（或いは権利濫用を根拠とするものも多い）とするのが判例の傾向といえそうである（大判昭九・八・二刑集一三・一〇一一、広島高判昭二六・一・一六特二〇・二、同昭八・二・七特三一・八、東京高判昭二八・六・二〇東京高刑時報三・六・二四九、最判昭三〇・一〇・一四刑集九・二一七三、東京高判昭三一・三・二〇東京高刑時報八・三・六四、最判昭三三・五・六刑集一二・一三三六、東京地判昭三七・三・二三判時二九四・一〇一〇一）。

ドイツやフランスでは、その刑法の解釈上、正当な権利の行使であれば、詐欺も恐喝も犯罪にならないというのが通説である（明石「我国の判例に現れた自救行為（一）」法学論集二一・一・九四以下参照）。わが国では、学説でも最近は右の(5)の見解が有力である。しかしなお少数説といえよう。通説は手段たる暴行や脅迫などを分離して、それのみについて犯罪の成否を考え、全体としての詐欺・恐喝罪は成立しないとする。それにしてもこのような学説の議論はすべて犯罪の構成要件論にもとづくものである。しかし自己の権利を実現するための有形、無形の実力というべき欺罔・恐喝の手段を用いるのであるから、これを一種の自力救済とみることもできる。緊急の必要性がある場合に一般的自救としてこの手段が大幅にみとめられねばならないのは勿論であるが、緊急性はなくとも、自由競争ないしは権利行使の範囲内では特殊的自救として或る程度の欺罔・恐喝などの手段が許されるとともに、その程度を超えた場合でも、これを正当な権利のない場合と同様に論ずるのは不衡平である。手段のみを分離して（要求額が正数を超えた場合は超過額のみ）考えるべきである。もちろん権利行使に名を仮託した場合は、滝川博士もいわれるように（滝川・刑事法判決批評一巻四一〇頁）、権利行使に名を藉りてその機会に恐喝をなしたものであるから、実は権利行使ではなく、恐喝そのものといえよう。要は権利行使の前提の下に、手段が社会観念上みとめうる程度を超えるか否かを標準とし、手段のみを分離して、それのみの構成要件充足性を問題とすべきである。或いは過剰自救として刑の減免を考えるのもよい。それではその手段が社会通念上みとめられ、またみとめられない限界はどこにあるか。これが問題である。その限界線上にあると思われる判例をあげて、この点を考察してみたい。

断つておきたいのは、本稿の目的は、しばしば刑法学上論議されている「権利行使と詐欺罪・恐喝罪」についての全般的な考察をなすのにあるのではない。それらの詳細については別の文献にゆずる（森下「権利行使と詐欺罪・恐喝罪」総合判例研究叢書刑法(15)ならびにそれに引用される諸論文。私もこれについて総合判例研究を試みたことがある。明石「我国の判例に現れた自救行為」(1)法学論集二一巻一号八八頁以下。なお、花井・自救権論は権利行使のための恐喝事件に関する弁論からなるものである）。

二　詐欺と自力救済

【18】　YはXのため工事費などのため立替支出した一六六〇円の返還請求権がある。他方YがXに二五〇〇円を貸与した如く装つて作られた約定書がYに交付されているのを奇貨として、これにもとづいて執行し、一二五円余を得た。原審はこれを詐欺罪に問うたが、

「按ズルニ詐欺取財罪ハ人ヲ欺罔シ之ヲ錯誤ニ陥レ因テ以テ不正ニ財産ヲ取得スルニ依テ構成セラルルモノナルガ故ニタトヒ手段ハ欺罔ニ出デタリトスルモ其取得シタル財産上ニ正当ナル権利ヲ有シ居ル場合ニ於テハ本罪ノ構成ナキハ勿論ナリトス（千六百余円の債権が真正に成立しているか否かを判定しないのは理由

不備である)」(破棄差戻)(大判明四一・九・一八刑録一四・七六九)。

これは詐欺罪について、正当な債権がある場合に無罪となした恐らく最初の判決であろう。それにしても本件の如きは、詐欺の手段としては比較的穏当といえよう。数額において正当な権利の一割に満たない僅少であるとともに手段としても或いは前記(5)の判決の言う「社会通念上認容すべき程度」に相当しないであろうか。

しかし報酬請求権の弁済をうけるために為替手形を騙取するのは不法行為だとの判決がある。

【19】 YはXに対して報酬請求権を有するがXが弁済しないので YはXを欺いて為替手形を騙取した。詐欺罪に関連して不法行為が問題となる。

「上告人Xハ被上告人Yノ為メニ欺罔セラレ金額一万五千円ノ為替手形ヲ騙取セラレタルモノニシテ、Yハ因テXノ財産権ヲ侵害シタルモノナルコトヲ認ムルニ足ルノミニシテ該手形ノ振出人受取人支払人ガ何某ナルヤ又該手形金額ガ既ニ支払ハレタルヤ等ノ事実ハ全然不明ニシテ、従テXハ該手形ヲ騙取セラレタル為メ実際上幾何ノ損害ヲ被リタルヤヲ知ルニ由ナキガ故ニ本院ニ於テ直チニ判決スルヲ得ズ」(大判大四・六・三刑録二一・七六〇)。

これによると数額の如何にかかわらず、弁済確保のための騙取はすべて詐欺の不法行為が成立することとなるようである。民事判決は行為の違法性を広く容易にみとめるためか、構成要件を厳密に考えないためか、行為の目的よりも結果を重視するためなのか。とも角も自己の権利の行使とか数額の如何、手段の如何が深く論じられていないことは事実である。

最近の下級審判決に、つぎのような自力救済を認容する判決がある。

【20】 被告人YはXに対して金銭債権を有していたが、その履行をしないので、自己の債権と相殺する意

図で、その旨を予めXに告げれば物（自転車）の交付をなさないと思つたので、代金は現金で支払うと詐り、自転車を交付せしめ、その代金債務について相殺した。右の行為が刑法二四六条の「欺罔して」「財物を騙取した」ことになるかが問題となつた。

「（前略）ある欺罔行為が詐欺罪としての可罰的違法行為となるためには、それが全体の法秩序に反し、反社会的行為としての評価をうけるものでなければならない。（中略）法が一方において相殺制度をみとめている以上、かかる権利の実行手段の場合にまで法が詐欺罪として干渉することはとうてい全法律秩序精神に合致するものとはいえない。かの権利実行の場合に恐喝罪の成立を否定する判例の趣旨も亦この点に存するであろう。もとよりかくいえばとて、われわれも、かの権利者の自力救済を直ちに承認するものではないのであつて、詐欺罪にあつては、権利の実行が相手方の任意の意思を媒介として、いわば平和的になされていることが特に注意されなければならない。しかもその濫用の危険のないことは恐喝罪の場合に比べて格段の差がある。（中略）本件において被告人は代金債務履行の方法について詐言を構えたことは確かであるが、この履行方法についての詐言は現金支払の方法たると相殺の方法たるとを問わず、代金債務履行の方法として法的に同価値とされる限り刑法が詐欺罪を以て干渉する限りでなく、かかる代金債務支払の方法に関する欺罔行為のごときは取引生活に危険な、いわゆる反社会的行為として評価さるべき筋合のものではない」（浦和地判昭三〇・一一・一四判時六六・一七五四）。

この判決は僅かに自力救済にふれて「かの権利者の自力救済を直ちに承認するものではないが」とするが、これは権利実行のための詐欺・恐喝を自力救済の一種と考えてのべたものと思われる。そしてその手段の態様が平和的で濫用の危険がなければ許されるというのであつて、妥当な解釈といえよう。

【21】　被告人YはXから金を借りて、Y名義の国鉄公傷年金証書を担保としてXに差入れておいたが、Yは返還の意思がないのに、Xの妻Aに対し、明日必ず返却する旨をのべ、欺いて証書を取戻したので詐欺罪

に問擬された。二審判決は、法は年金証書を担保に入れるのは禁じているが、他人による証書の所持は禁じていないこと、Xが自ら権利を行使する意図でなしたものでないことを理由に、Yを有罪とした。Yは上告。

「所論は単なる事実誤認の主張であつて、刑訴法四〇五条の上告理由に当らない。のみならず所論の点に関し、本件公傷年金証書をもつて刑法にいわゆる財物に該当するものとした原判決は正当である。なお原判決が刑法二四六条一項の詐欺罪の規定は、必ずしも財産的損害を生ぜしめたことを問題とせず、むしろ個々の財物に対する事実上の所持それ自体を保護の対象としているものと解すべきであるとし、本件において法令上公傷年金の受給権を担保に供することが禁止されている結果、被告人がAから金員を借受けるに際し、自己の所有にかかる国鉄公傷年金証書を担保として同人に差入れたことが無効であるとしても、同人の右証書の所持そのものは保護されなければならないのであるから、欺罔手段を用いて右証書を交付させた被告人の所為が刑法二四二条にいわゆる「他人ノ財物ト看做」された自己の財物を騙取した詐欺罪に該当するものとしたことは相当であつて、（中略）刑法二四二条二五一条の規定をもつて、正権限により他人の占有する自己の財物の場合に限り適用さるべきものとした大審院判例（大正七年九月二五日刑録二四輯一二一九頁）は変更を免れない」（最判昭三四・八・二八刑集一三・二九〇六）。

これは【35】の判決を変更する重要な判決である。しかし本来、年金証書の質入は法律上無効であり、当然にそれの返還請求権を有するものであるから、自力救済の手段が社会観念上みとめうる程度であれば、それは容認されて然るべきである。本判決が、この点を問題にしていないのは妥当であるまい。ただ原審判決は、Yが自己の返還請求権を行使する意思でやつたものでないことを認定し、それを理由としているが、原審としては、もし権利行使の意思でなしたのであれば、違法性を阻却するものと解しようとしたようにも推察される。もし本判決もそれを理由とするのであれば妥当と考える。

なお後述のように、窃盗に関して本判決と同趣旨の判決【38】がなされているのは注意すべきである。

つぎに無効登記を偽造の委任状によつて抹消せしめたのを有効とする珍しい判決がある。

【22】 偽造の委任状による無効登記の抹消である。すなわち、被上告人YはAに対し何等債務を負うたことがないのに、Y所有地上にAの抵当権が設定登記され、その抵当権が債権と共にAから上告人Xに移転され、登記が完了した。これを知つて驚いたYから依頼をうけたBはXの委任状を偽造してYのため右抵当権の抹消登記手続を完了した。そこでXはYに対し回復登記を求めてきた。

「上告人の抵当権の登記を委任状を偽造して抹消したことは、たとえその債権がなかつたとしても不法であることは、上告人主張の通りではあるが、もともと、登記は現実の権利関係をそのまま公示せしめる為の制度であり、現実の権利関係に符合しない登記が記載されている場合には、現実の権利関係に符合するように登記簿上の記載を抹消又は変更するのが不動産登記法の精神であるから、上告人の本件抵当権の登記は被上告人に対する関係では抹消さるべき関係にあつて、被上告人に対しては本来右抵当権の登記の維持を求める権利を有しない関係にあるものといわなければならない。故に上告人の抵当権の登記を抹消したのは違法で、上告人がそれがために損害を生じたとすれば、金銭賠償を請求するなれば格別、被上告人Yに対し現実の権利関係に合している現在の状態を現在の権利関係に合していない状態への回復を求める本訴請求は理由がないと認めるを相当とする」（東京高判昭三〇・六・二九民集八・五・三七八）。

これは登記法上の問題であるが「委任状の偽造」という一種の自力の行使が許さるべきか否か議論がある。本来、偽造の委任状による抹消登記の申請は却下さるべき違法の請求である。たとい申請の内容が実質関係に符合していても、違法たるを免れず、却下されないで受理され、登記が完了しても、それは登記義務者の意思にもとづかないから無効だとするのが、従来の判例であり、学説であつたのに、本判決はそれを有効とする。要は登記義務者の意思の存在をどの程度要件とするか、によって決せられる。登記義務者は登記に協力すると否との自由を有しない、との見解をとれば、そしてまた登記の権利者と義務者との協同申請ということが、私的自治の原則に基くのでなく、取引の安全という公示制度の要請に基くものだと解するならば、一旦なされた抹消登記は――たとい偽造の委任状にもとづいても――法的効果としては有効と解すべきものである。これが手続上の経済原則にも合する。ただ判例もいうように、委任状の偽造という、手段の違法に対して不法行為法または刑法上の責任を問われることはありえよう。しかしこれとても、緊急の必要性があれば、違法性を阻却される。違法且つ無効な登記の抹消については、往々にして緊急の必要性があるであろう（本判決の批評、杉ノ原「無効な登記の抹消と回復登記の請求」民商三七・四・一一八参照）。

三　恐喝と自力救済

【23】　Aの死後X（Aの長女の婿養子）は、Aの生前にAがB（Aの妻）に譲渡したように装い、Aの不動産をB名義に移転登記した。ところが本来、その不動産はAの死後当然にY（Aの次女の婿養子）が相続することになつていた。そこでYはXに対し、登記を抹消するか、金二五〇円を支払うか、さもなければ懲役に陥れる旨を通告し、二五〇円で示談が成立した。原審はYの恐喝は自衛行為で法は禁じない、としたのを検事上告したが、大審院も正当な権利行使であれば詐欺罪、恐喝罪は成立しないと判決した（大判明三九・四・一〇刑録一二・四三六）。

この場合に「懲役に陥れる」ということは正当な告訴権の行使をほのめかしたことであり、その結果えたものは正当な金額であるから、無罪たるは当然であろう。その手段が公序良俗に反する程度とはいえない。しかし判決は手段の適法性を問題とせず、もっぱら目的の適法性から、結論を下している。この点で反対する学者がある（森下・前掲一四八頁）。

【24】 A女の婿養子Xが未亡人B女の家に入り込みAを顧みず生活に窮したので、Aの依頼をうけた弁護士事務員YがB方に至り、XとBに対し、二人は姦通罪を犯していると嚇して毎月九円を五年間Aに給付する契約をなさしめて、恐喝罪に問われた。当時の刑法でもX・BはAに対して姦通罪とならないのにこれを口実としたところに問題があるが、原審は恐喝罪の成立をみとめたのに、大審院は有名な男子の貞操義務をみとめてAは正当な賠償請求権ありとし、それのための恐喝だから犯罪にならないとする（大判昭二・五・一七志林二九・七七五）。

今日では姦通罪はないが、姦通による慰藉料請求権はあるのだから「姦通罪」をもっておどしたとしてもこの程度なら公序良俗に反するともいえないのでなかろうか。

つぎに社会観念上みとめられる範囲を逸脱したものとして恐喝罪をみとめる場合の例がある。

【25】 AB二通の約束手形（Bは偽造なるもYは不知）所持人Yは振出人Xがその成立を否認するのに憤激し、Xを窮地に陥れて応じさせようとし、先ずAについて仮差押の決定を得、執達吏とともにX方に至ると、Xは金銭への執行を求めたのに家具等への執行の気勢を示し、よってBについても弁済の約束をなさしめた。

「按ズルニ権利行使ノ意図ニ出デタル行為ト雖其ノ権利者ノ故意又ハ過失ニ因リ法律ノ認ムル範囲ヲ逸脱スル方法ヲ以テ之ヲ行ヒタル為他人ノ権利ヲ害シタルトキハ是レ蓋シ権利ノ濫用ニシテ権利ノ行使ト謂フヲ得ズ……自己ノ権利ヲ実行スル目的ヲ以テ他人ニ対シ恐喝手段ヲ施用シタル場合ト雖若シ此ノ如キ方法ニ依ル実行ニシテ社会観念上被害者ニ於テ忍容スベキモノト一般ニ認メラルル程度ヲ超ユルモノナルニ於テハ其ノ行為ハ既ニ権利ノ行使タル性質ヲ失フガ故ニ之ガ為ニ敢テ恐喝罪ノ成立ヲ阻却スベキ理由ナキモノトス（そ

こで被告人の行為が法律のみとめる権利行使の範囲に属するか否かを考えるに、他に適当な方法があつたとしても仮執行に出たこと自体は手形の偽造なることを知らない被告としては強ちとがめるべきでなく、一般に忍容すべき程度のことであるが、金銭債権に対する執行だから、金銭について執行されたい旨の申出があれば、それについて執行すべきであるのに、ことさら債務者を苦しめる目的で畳建具その他の家具の執行に着手したのは、債務者の忍容すべき限度を超えて、権利の濫用となる)」（大判昭九・八・二刑集一三・一〇一一）。

右は仮差押という公の手続によるもので、相手方はこれに執行異議の訴をもつて争いうるから違法性がないともみられるが、Yとしては仮差押が目的ではなく、それを手段として自己の要求を貫徹せんとし、したがつて方法に常道を逸した無理があつたと思われる。それにしても、B手形については判決も或る程度はみとめているように、事実の錯誤があつたとみとめられるから、民法上の不法行為としてならば別だが、刑法の恐喝罪までみとめるのは酷ではなかろうか。

ところがまた恐喝罪の成立が否定された事案がある。

【26】　南海晒粉株式会社の工場から流出する廃液により、附近の井戸水が使用できなくなつたので、住民の依頼をうけたYが損害賠償について会社側と度々交渉したが拒絶された。Yは世論に訴えるべく、パンフレットを配布したり、公会堂で演説会を開いたりなどして金百円を会社から得た。これを恐喝罪として訴えられた。

「被告人ノ行為ハ稍々穏当ヲ欠クノ嫌ナキニ非ズト雖、損害賠償ノ権利ヲ有スル者ガ其権利実行ノ手段トシテ恐喝手段ヲ施用シタリトスルモ恐喝罪ヲ構成スルモノニ非ザルコト夙ニ判例ノ示ス所ノ如クナルガ故ニ本件ニ於ケル被告人ノ行為モ亦権利実行ノ手段ニ外ナラザルモノトシテ罪トナラザルモノトス」（大判昭一一・一〇・一〇裁判例（一〇）刑六七、判例体系刑法35 II 一〇）。

右の事案では、手段そのものが目的にてらしてみて、未だ公序良俗に反するまでに至っていないと考えられる。ところが、判決は手段は違法に近いと考えながら、しかも権利実行のための恐喝は罪にならないとの従来の判例を踏襲したにすぎない口ぶりである。

つぎに恐喝罪が成立するとの判決がある。

【27】 地主Xは小作人Aが小作料を滞納したので、小作地をとりあげるため、小作地の桑樹を抜きとり、該土地を強制的にとり上げんとする気勢を示したので、被告人YはAと共謀し、小作争議をひき起して抗争した。そして損害賠償名義で、四九一円八二銭のAに対する債権を放棄せしめ、且つ一五〇円の現金を得た。

「被告人ノ原判示第一ノ（一）ノ所為ハ地主Xノ不法ナル侵害ヲ防止スル為已ムコトヲ得ズシテ為サレタモノナリトノ所論ハ原判示ニ副ハザル主張ナリトス而シテ小作争議中ニ為サレタル小作人ノ主張ニシテ其ノ受ケタル損害ヲ小作調停ノ結果地主ヨリ受領スルガ如キハ違法視セラレザルコト言ヲ俟タズト雖地主が小作地ノ耕作物ヲ抜取リ該土地ヲ取上ゲントスル態度ヲ示シタルヨリ小作争議ヲ惹キ起シ大衆党ヲ背景トシテ地主居宅附近ノ電柱ニ悪地主ト大書シタル「ビラ」ヲ貼布シ多数ノ人夫ト労働歌ヲ高唱シ其ノ附近ヲ徘徊シ或ハ人夫ヲ貨物自動車ニ乗セ待機中ナリト放言シ地主ノ身体名誉財産等ニ危害ヲ加フベキ気勢ヲ示シテ地主ニ危惧ノ念ヲ抱カシメ損害賠償名義ノ下ニ財物ノ交付ヲ受クルニ於テハ権利行使ノ範囲ヲ超越シ恐喝罪ヲ構成スルモノトス蓋シ法律ハ特別ノ場合ノ外自力救済ヲ許サザルヲ以テ仮令不法ノ侵害ヲ排除スルヲ目的トシタルニセヨ国家ノ強制力ヲ藉ルコトナク権利行使ヲ名トシ自力救済ニ訴フガ如キハ法律秩序ノ観念ニ反スレバナリ原判決ノ認定シタル判示第一ノ（一）ノ事実ハ論旨掲載ノ如クニシテ其ノ挙示セル各証拠ヲ綜合スレバ優ニ之ヲ証明スルニ足リ其ノ趣旨トスル所ハ権利行使ノ範囲ヲ超越シタルコト判示自体ニ依リ疑ナク恐喝罪ニ該当スルト同時ニ同罪ノ判示トシテ理由備ハラザル所ナシ」（棄却）（大判昭一一・一一・一八刑集一五・一四七八）。

右の事案では、既に手段が過剰であるようにもみられるが、小作調停法のほかは農地調整法や今日の農地法の如き制度のない当時としては、小作人の立場を守る手段としてやむをえなかつたものともみられよう。或いは緊急の必要性もあつたと考えられる。しかし判決は「特別の場合の外自力救済を許さざる」ものとする。これは自力救済を正当防衛、緊急避難などの場合に限る趣旨かとも思えるが、そうだとすれば狭きに失する。或いは、手段が権利行使に名を仮託したものと考えているのであろうか。しかし本件はせいぜい手段の違法のみを問題にすべきではなかつたであろうか。

【28】　被告人Yは株式の売買によりX証券会社に三六万円の債権を得たが、度々の督促にかかわらずXが支払わないので、Yは朝鮮人連盟の顔役Aに取立応援を依頼し、YA等十数名が昭和二三年三月一八日正午頃X方に至り、X会社の社長、取締役、支配人らを取囲んで支払を要求し、同時に不払の場合は右連盟へ拉致して身体、生命に危害を加うべき旨を伝え、即日七万円（内二万円は小切手）を喝取し、同二六日に残額支払の約束をさせ、更に同二六日に再びX方へ至つて現金七万円、小切手七万円を喝取した。原審は恐喝罪に問擬したのでYは正当な自力救済だとして上告した。

「他人に対し権利を有するものが、その権利を実行することは、その権利の範囲内であつて、且つその方法が社会通念上一般に忍容すべきものと認められる程度を超えない限り、なんら違法の問題を生じないけれども、右の範囲又は程度を逸脱するときは違法となり、恐喝罪又は脅迫罪の成立することがあると解するのを相当とする。（中略）Yのこのような実行方法は、社会通念上一般に、債務者の認容すべきものと認められる程度を明らかに超えるものであるから、たとえ取立てた金額は債権の範囲内であつても、その方法において違法たるを免れないのである。仮りに所論によつても、少くとも脅迫罪の成立することは明かであり……論旨は結局とることはできない」（棄却）（最判昭二七・五・二〇裁判集刑六四・五七五）。

取立てた額は債権額の半分余であるが、手段が穏当を欠くものであり、従来の判例の傾向からいえば手段の違法だけを問うこととなろう（大判昭五・五・二六刑集九・三四二参照）。それで本判決が果して恐喝罪が成立するのか脅迫罪が成立するのか曖昧な態度にあるのも、過渡的判例の立場を示すものといえようか。本判決を引用するつぎになされた判決（最判昭三〇・一〇・一四刑集九・二一七三。さらにこの昭三〇年の判決はつぎの最判昭三三・五・六刑集一二・一三三六に引用されている）において恐喝罪の成立のみを肯定し、手段のみの分離をみとめない判例の立場がほぼ確立したものといえようか。それにしても本判決は、上告人が自力救済を主張したのに対し、これに何等答えていないのは不満である。もつとも本事案においては、緊急的一般的自力救済の成立要件たる緊急的必要性は欠けているものと考えられる。

つぎに、盗難品の取戻しのための暴行、脅迫が自救行為となるか否かについて、つぎの下級審判決がある（これは占有に関する【16】と同一事件であるが今一度ここにあげる）。

【29】「被告人両名が原判示のように、被害者Xが被告人Yの大豆入りリュックサック一個を持去つたとの疑念を抱く十分な根拠があり、現に右リュックサックは、X方附近で発見されたのであり、このような場合被害者について事実の有無を問い、その返還を求めることは法の禁止するところではないが、社会通念上許された限度を超え、原判示のように、仲間数名と共に、被害者宅に行き、多衆の威力を示すと共に脅迫的言辞態度を示した上、暴行を加えることの許されないことは当然である。従つて被害者から右リュックサックの返還を受ける権利があることから、本件行為が所謂自救行為として、犯罪とならないということは到底できない（本件は、現行犯人の逮捕や現行犯人から盗品の取戻をする場合と全然異る場合であることは、記録上明らかである）」（東京高判昭二七・五・三〇特三四・四八、判例体系刑法各則V四九）。

右の事案は事実関係が明瞭でないが、判決は「リュックサックを受ける権利があることから」としているのをみると、たとい請求権があつても手段が違法だとするようであるが、占有自救の成立が可能のように思われる本件では、奪回のための多少の暴行脅迫もやむをえないのでないかと考える。

つぎに、不動産仲介業者の報酬請求権の実行について判決がある。

【30】　Yは X のため家主 A と店舗借入の交渉をしていたが、家賃、権利金の額が折合わず一時見合せとなつた。その後XとAとは直接交渉によつて権利金二十五万円、家賃は月三万円で妥結した。Yは立腹し、「組合員全員の力によつて取れるものは取る」と豪語し、X方に赴き、手数料六万円を要求し、結局一万八千円を得た。

「しかし宅地建物取引業者の報酬額を定めている昭和二十八年一月三十日群馬県告示第三十三号によつても、月家賃三万円の家屋賃貸借契約が成立すれば、手数料として六万円程度の報酬額を受領するのは必ずしも過大不法なものとはいえないし、前記のような事情で一時交渉を見合せているうちにXが A と直接交渉を始め、賃貸借契約が成立するに至り被告人 Y の仲介によつて契約成立したものではないが、このような場合Yの仲介によつて契約成立した場合と同様に手数料を請求しうるものと解さなければならない。もしそうでないとすれば、土地家屋周旋を業とする者としては、契約成立に努力しながら、何等の報酬を受けることができなくなり、その営業上重大な打撃を受けることにならざるを得ないからである。してみれば YがXに対して六万円を要求したのはYが土地家屋周旋業者として当然保有する報酬請求権の行使であると認めざるを得ない。もつともYの前記所為に際しXに対し多少不穏当な言葉を弄したことは否定できない。しかしこれとてもYの従前の斡旋行為を無視し X が Yに一言の申入もしないで勝手にAとの間の直接交渉を進めたことが原因をなしたものと認められ、Xに非難すべき点がないわけではないのをみれば、Y の多少不穏当な言辞もXにとつて受忍し得ない程度のものとも認められないから、Y の所為を以て権利の行使に仮託したとか或はその方法が社会通念上正当な程度を超えたものとして恐喝罪を構成するものと断ずるのは相当でない」（破棄）（東京高判昭三〇・一〇・六特二・二〇・一〇三二、判例体系刑法各則V一九頁）。

不動産仲介業者は、紹介した両当事者が仲介業者を故意に排除して直接に取引した場合に、一般に予定報酬額の全額を請求しうることは、今日のほぼ確立した判例となっているが（詳細は、明石「不動産仲介業者の報酬請求権」判例評論五七・一以下、広中「委任の解除」民商四八・一・四六以下参照）、その請求権を実現するための威嚇行為として、右の程度のものは違法性がないとする判決は妥当であろう。本来依頼者の行為が信義則に反した行為をしているのだから。

右のほか

【31】 競落によって取得した物件を被競落人が買戻すべき契約をしたが、期日に代金の支払がない場合に、その代金と遅延損害金の即時支払を求めるため、これに応じないときは直ちに搬出すべき旨を強調して畏怖させる行為は、権利の行使であって違法でない（岐阜地判昭一五・三・一五新聞四五五〇・七）。

また

【32】 対抗要件を具備していない第一の買主が、その情を知って目的物を買い受けた第二の買主を恐喝し、損害金を交付させた行為は恐喝罪を構成する（旭川地判大九・四・二一評論九民法三三九）。

四　強要と自力救済

債権の弁済を請求するための面会強要が強要罪となる旨の大審院判決がある。

【33】 「被告は債権行使を理由として右Ｘに面会を求め同人より面会を謝絶されたるに拘らず尚強ひて面会を求め約一時間も退去せざりし者にして此の如く面会を拒絶されたる以上尚ほ強ひて面会を求むるは被告の権利に非ざるが故に結局被告は故なくして面会を強請したるものと認めざるべからず原判決は……「所論の違法ありと謂ふを得ず」（棄却）（大刑判大四・八・三〇新聞一〇四三・三一）。

五　営業妨害と自力救済

債権の弁済請求に赴いて、債務者に対する営業妨害となる場合について判決がある。

【34】「債権者が債務者の住所又は営業所に至り、債務の履行を請求しうることは当然のことで、かかる行為が罪とならないことは明らかである。従つて債務の履行を請求するに当つて、その交渉のため多少の時間を要し、そのため債務者の仕事が妨げられたり、営業が一時的に停滞しても、債権者の行為は正当業務の範囲内の行為として違法性を欠くものと解すべきである。然れども法治国においては債権者の自力救済行為は、認められないところであつて、債務の履行の請求であつても、奪取的行為又は債務者又はその一族郎党に対し、債権者の権利行使としては妥当としない暴行脅迫を示すとか等の行為に出ずるときは、刑法所定の犯罪となることは明らかである。本件においては、被告人は浴場としては一日の中最も混雑している午後五時半頃、債務者の居宅を訪問せずに、営業所である浴場に至り、債務者でない債務者の実姉石崎たね子に対し暴言を吐き、番台を一時間余に亘り占拠し、浴場を混乱に陥れたのであるから、債務者に対する適法な請求行為と認むることはできない。かかる被告人の行為は、正当視せられる債権者としての行為を逸脱したものと謂うことができる。右の被告人の行為は威力に該当し、而して浴場の営業を妨害したのであるから、刑法二三四条（業務妨害）の罪に当るものと解すべきである」（名古屋高判昭三〇・一〇・二五特二・二一・一一二）。

通常は弁済を督促するための訪問が多少の営業妨害になるとしても、それは当然のことであつて、特に違法とされることはないが、その方法の如何によつては過剰性を帯び、違法となりうる。本件はその適例であつて、条理を尽した判決だと考える。かかる場合は、むしろ名を権利行使に仮託した営業妨害だといえよう。しかし判決が「法治国においては債権者の自力救済はみとめられない」といい、自力救済が常に否定されるかのような表現を用いているのには賛しえない。また、かりに手段の欺罔、脅迫が違法性を免れず、全体として犯罪を構成するとしても、一般の緊急的自力救済または占有自救の要件が備っておれば、欺罔、脅迫の手段も多くは正当化されうることはいうまでもない。なお営業妨害については【49】以下をも参照されたい。

四　窃盗・横領などと自力救済

刑法上、同じく奪取罪といわれるものの中でも、詐欺・恐喝罪は被害者の任意の提供（その意思に瑕疵はあるが）によるものであり、窃盗罪は被害者の意に反する奪取である点において、両者は手段が異る。しかし横領罪をも加えて、領得罪たる点では同じ範疇に入る。ここでは権利行使のための窃盗・横領について考察する。

一　窃　盗

【35】Yは自己の恩給証書を担保に入れてXから借金した。その後はYはXに対し、他より借替弁済するから荷為替付で送還するよう要求した。Xがこれに応じ証書をY居住地の銀行に送致すると、Yは銀行で証書の閲覧を求め、行員の隙に乗じてこれを窃取した。原審は刑法二四二条により窃盗罪に問うた。Yは上告し、恩給の質入れは法の禁ずるところであり、証書は依然として恩給帯有者の占有にあると同一の権利関係を生ずるから、刑法二四二条にいわゆる他人の占有に属するものではなく、したがって帯有者がこれを取戻すのは権利の行使にすぎないと主張した。

「仍テ按ズルニ自己ノ財物ニシテ他人ノ占有ニ属スルモノヲ窃取又ハ騙取スルトキハ刑法第二百四十二条第二百五十一条ニ依リ窃盗罪又ハ詐欺罪ヲ構成スルコト明カナリト雖此規定ハ占有者ガ適法ニ其占有権ヲ以テ所有者ニ対抗シ得ル場合ニ限リテ適用セラルベキモノニシテ此ノ如キ対抗権ノ存セザル場合ニ於テハ此規定ニ依リ占有者ヲ保護シ所有者ヲ罰スベキ理由ヲ存セズ而シテ（恩給は差押ええず、一身に専属し、担保に供するのは無効であるが故に）恩給年金ノ帯有者ガ其恩給年金ヲ債務ノ担保ニ供スル目的ニテ其証書ヲ債権者ニ交付スルモ其名義ノ如何ヲ問ハズ債権者ハ其証書ニ付キ何等ノ権利ヲ得ルコトナク反之帯有者ハ何時ニテモ其証書ノ占有ヲ回復スルノ権アリト謂ハザルベカラズ是ヲ以テ恩給年金ノ帯有者ガ其証書ヲ債権担保ノ為メ債権者ニ交付シタル後債権者ノ意ニ反シ又ハ之ヲ欺罔シテ其占有ヲ回復スルコトアルモ刑法第二百四十二条第二百五十一条ニ依リ之ヲ窃盗罪又ハ詐欺罪ニ問擬スベキモノニ非ズ之ヲ原判旨ニ徴スルニ（中略）初メ債権者ガ被告ヨリ右証書ノ交付ヲ受ケタルハ債権担保ノ目的ニ出デタル無効ノ脱法行為ニ因レルモノナレバ債権者又ハ債権者ヨリ証書ノ交付ヲ受ケタル銀行ハ其証書ノ占有ヲ以テＹニ対抗スルノ権ヲ有スルモノニアラズ従テ判示被告ノ所為ハ詐欺又ハ窃盗ノ罪ヲ構成セザルモノトス」（破棄自判）（大判大七・九・二五刑録二四・一二二九）。

恩給証書の質入が無効であり（恩給法一一）、入質者はその証書を物権的に返還請求しうるのは疑がない。ここで問題となるのは、第一に右証書の自力奪還が窃盗罪になるか否か、第二に自力救済としての要件を備えているか否かである。(1) 第一については（イ）窃盗罪の被害法益が所有か占有か、（ロ）窃盗罪に不法領得の意思を要するか、という問題に関連する。（イ）占有も保護法益であることは刑法二四二条が明言するが、占有は正権原によるものにかぎるか、或いは無権原占有（いわゆる対抗しえない占有）も入るか。これは刑法学上争のあるところであるが、本判決は多数説にしたがつたものである。ただ民法学上は占有として成立している以上、保護さるべきであり、侵せば不法行為となる。（ロ）しかし刑法上不法領得の意思を必要とする通説・判例の立場に立つとき、「不法領得の意思」を「他人の物を自己の所有物として利用する意思」（大判大四・五・二一刑録二一・六六三、最判昭二三・四・一七刑集二・一〇七九）と解するならば、権原のない占有物に対して不法領得の意思を持つことはありえない。この場合「他人の利用を排除する意思」と解すれば不法領得の意思があるといえる。それにしても判決は、対抗力なき占有を自力で奪還するのは詐欺にも窃盗にもならないという。これは自己の請求権を実現するための詐欺・恐喝が犯罪とならないとする従来の判例の態度（四一頁参照）によるものである。しかしこれに対しては今日では相当有力な判例、学説の反対があることは前述の通りであり、また本判決を正面からくつがえす最高裁判決が出ていることは前述した【21】。(2) つぎに詐欺・窃盗の構成要件は一応充すにしても、なお自力救済としての要件は備えないであろうか。判決が「対抗権なき占有」というとき、或いは占有の自力救済を潜在的に念頭においているのでないかとも考えられるが、Yの占有は奪われたものではないから、占有自救は成立する余地がない。また緊急的一般的自力救済としても、緊急の必要性をみとめることは困難であるから、その成立をみとめえないであろう。

【36】 被告YはXをして牡馬一頭ほか三点を書入（抵当権の設定）せしめた上一六五円の債権を有していたが、期日をすぎ、督促しても支払わないので、該馬匹を売却して弁済に当てるため、家人の拒むにかかわらず、厩より曳き去った。Yは窃盗罪に問擬された。

「窃盗罪ハ不法ニ領得スル意思ヲ以テ他人ノ財物ノ占有ヲ奪取スルニ因テ成立スルモノトス故ニ縦令他人ノ財物ノ占有ヲ奪取スルモ苟モ不法領得ノ意思ヲ欠如スルニ於テハ窃盗罪ヲ構成スルコトナシ……叙上書入レ云々ノ意義明確ナラズト雖モ蓋シ当事者ハ前記物件ヲ以テ右債権ノ履行ヲ確保スル趣旨ニ於テ書入ト称スル一種特別ノ契約ヲ締結セルモノト看取スルヲ得ヘシ故ニ若シ当事者ニ其ノ債権ノ弁済期ニ到リ債務者カ任意ニ債務ノ弁済ヲ為サザルトキハ債権者自ラ該物件ヲ売却シテ其ノ得タル代金ヲ以テ債権ノ弁済ニ充ルコトヲ得ベキ特約存在スルニ於テハ縦令被告Yガ判示ノ如クX家人ノ意ニ反シ判示馬匹ヲ牽キ去ルモ之即チ権利ノ行使ニ外ナラズシテ窃盗罪ヲ構成スルコトナカルベク之ニ反シ被告ハ契約上此権利ヲ有セズシテ全然不法ニ領得スル意思ヲ以テ該馬匹ノ占有ヲ奪取シタルニ於テハ窃盗罪成立スルニ至ルベシ（…書入れの意義内容

が不明だから判断ができない。)」(破棄差戻)(大判大一二・三・一五 新聞二一一八・二二)。

「書入」というのは、わが国の近世における制度で今日の抵当に当るが、流抵当特約を含むと解されるものもあれば、そうでないものもあったようである(滝川政次郎・日本法制史五五五頁参照)。地方によっても異ったようである。今日かかる制度はないのであるが、本件当事者は古来の慣行にもとづいて、債務の弁済がない場合に流抵当になる旨の黙示の特約があったものかと思われる。それにしても現行法では馬匹について無占有質すなわち抵当は農業動産信用法(昭和八年)によるほかはみとめられず、従ってこれらの流抵当ないし自力執行権は一種の債権的請求権としてならばみとめうるであろうが、直接の自力執行権はみとめえない(農業動産信用法・同抵当権実行令によるも同様)。現実の自力執行の際に債務者の同意がなければ自力執行しえないと解すべきである(ドイツの通説である。明石・自力救済の研究一三三頁参照)。判決は窃盗罪の構成要件論から、これを無罪としているがこの点はつぎの最高裁判決【38】によってくつがえされることとなる。それにしても「書入」の慣行上、馬の所有権は既にYに移っており、Xの占有を違法と考えたとすれば、過剰自救ないし錯覚自救として刑の減免がなされるべきであって、通常の窃盗罪として罰するのは妥当でなかろう。

【37】 YはX会社に織機部品を売却し約束手形を受取ったが不渡となり、更に書換えた際、Yは「満期日に支払がなければ物品によって決済する」旨の誓約書をとった。その後もXの経済状態が悪く、満期日に支払ってもらえないと考え、Yは満期三日前にトラックでX会社に赴き、Xの意に反して織機部品(Yの納入しないものも含む)を持ち帰った。一審では窃盗罪としたが、二審では不法領得の意思が問題とされ、「不法領得の意思とは権利者を排除し他人の物を自己の所有物と同様にその経済的用法に従いこれを利用し又は処分する意思をさす」「Yは持帰ったのは満期三日前であり、その時既に直ちに処分して決済する意思

だつたとすれば不法領得の意思があつたこととなるが、Yは物品の預り証をXに差入れておるからYは預る意思と思われる。窃盗罪を構成するか否かはYの意思如何にかかるから原審判決は理由不備である」（要旨）（破棄差戻）（名古屋高判昭三一・二・一九判時一〇九・二九七四）。

本判決は「不法領得の意思」の意義に関して「自己の所有物と同様」の利用だと解するものである。しかしYが持帰る際にXの承諾がなければ自力救済としては違法であつて、少くも過剰であろう。

【38】 被告人YはXに対する債権の担保としてXの貨物自動車の譲渡を受けたがなおXが使用していた。Xは期限に弁済できなかつたので、Yは自動車を捜索中それを発見し、運転手が不在だつたのを幸いYが自力で持ち帰つたので窃盗罪に問擬された。Yは正当防衛ないし自力救済だと主張した。原審は「刑法上の正当防衛行為……と認められないのは勿論、民事上の自力救済が容認せられる程度の急迫な事情があつたことは認められないのであつて、被告人の本件行為は正当な防衛行為とはいえない」。「諸般の情状を考慮するに、被告人は本件貨物自動車の引渡を受ける権利があり、自力救済もまた止むを得ないものと考えて本件の如く実力行使に出たものと認められることその他情状上原審の被告人に対する懲役六月（二年間執行猶予）の刑は過重と認められる」（高松高判昭三一・一〇・二三）。

これに対して、Yはさらに正当防衛ないし自力救済その他の理由を主張して上告した。

「所論は、不法占有は窃盗から保護されるべき法益となりえないことを主張するが、当裁判所においては、すでに(1)「正当の権利を有しない者の所持であつても、その所持は所持として法律上の保護を受けるのであるから、盗贓物を所持するに対し恐喝の手段を用いてその贓物を交付させた場合には恐喝罪になる」との趣旨の判決（昭二四・二・八）(2)「元軍用アルコールがかりにいわゆる隠匿物資であるため私人の所持を禁じられているものであるとしても、それがため詐欺罪の目的となりえないものではない。刑法における財物取財の規定は人の財物に対する事実上の所持を保護せんとするものであつて、これを所持する者が法律上正当にこれを所持する権限を有するかどうかを問わず、たとい刑法上その所持を禁ぜられている場合でも現実にこれを所持している事実がある以上、所持という事実上の状態それ自体が独立の法益とせられ、みだりに不正の手段によつてこれを侵すことを許さぬとする趣旨である」との旨の判決（昭二四・二・一五）(3)「他人に対して恐喝の手段を用いてその者が不法に所持する連合国占領軍物資を交付させたときは恐喝罪が成立する」との趣旨の判決（昭二五・四・一一）また(4)「法令上公傷年金の受給権を担保に供することが禁止されている結果国鉄公傷年金証書（これは刑法にいわゆる財物に該当する）を借受金の担保として差入れたことが無効であるとしても、これを受取つた者の右証書の事実上の所持そのものは保護されなければならないから、欺罔手段を用いて右証書を交付させた行為は刑法二四二条にいわゆる「他人ノ財物ト看做」された自己の財物を騙取した詐欺罪に該当する」との趣旨の判決（昭三四・八・二八）があり、この判決により大正七年九月二五日大審判決（刑録二四輯一二一九頁）は変更されたものであることは明かであり、他人の事実上の支配内にある本件自動車を無断で運び去つた被告人の所為を窃盗罪に当るとした原判決の判断は相当である」（棄却）（最判昭三五・四・二六刑集一四・七四八）。

既に詐欺に関して、大正七年の判決【35】を変更する旨の判決が出ているが【21】、本判決もまた同趣旨のものである。領得罪の被害法益たる占有は、正権原にもとづく占有（対抗しうる占有）であるとの通説・判例を破るものである。民法上は、占有は占有として成立している以上は保護されねばならない。しかしXが自動車を他へ売却するなどして、引渡請求権の実現が困難となる事情があれば、自力救済として成立は可能である。しかし原審は右の緊急必要性のなかつたことを確定している。原審では緊急性があれば自力救済の成立を肯定するようであるが、最高裁はこれにふれず、専ら被害法益たる占有の面から判決する。原審判決がむしろ意を尽したものといえよう。しかも原審が「民事上の自力救済」といつているのは、ドイツ民法やスイス債務法にならい、自力救済の概念規定は一応民法にゆずり、刑法はそれを援用する趣旨であろうか。もしそうだとすればさらに深い考察にもとづくものであつて原審に対し満腔の敬意を表したい。

なお、本判決が引用する判決（最判昭二四・二・八第二小法廷刑集三・二・八三）は引用としては適切でなかろう。後者は全くの無権利者が自ら警官だと詐称して盗品を盗人から喝取した場合である。目的物の引渡請求権を有する者による自力救済たる本件と同日に論ずるのは妥当でない。それを民法のように不法行為のわくでくるのならまだしも、窃盗罪というような特殊な犯罪のわくに一緒に入れるのには賛成しがたい。もし多数説のようにこれを無罪としてしまうことができなければ、中間的な「過剰自救」として考えることはできないものであろうか。

鉄道公安員に領置された密造酒の奪還を窃盗とする判決がある。

【39】　鉄道公安職員が列車内で密造焼酎一斗二升入の水枕六個を発見し、持主を尋ねたが名乗る者がないので、徳島鉄道公安室の戸棚に旋錠の上保管したが、所有者たる被告人はそれを盗み出した。被告人は、領置物件の目録が交付されていないから領置手続が不適法だつたと抗弁するが

「右領置は適法というべく（持主が名乗り出ないから交付不可能）従つてその領置物については鉄道公安職員が適法に占有権を取得し占有を対抗しうる。（中略）たとえ被告人が領置物件の所有者であつたとしても刑法二四二条、二三五条（窃盗罪）の罪を構成することは当然である。（中略）たとえその領置が事実の誤認又は手続の瑕疵に基いたとしても、特に悪意なくしてした行為で一般の見解上鉄道公安職員が鉄道公安職員

としてなす行為であると認められる場合には領置物の占有は鉄道公安職員に属するものと解するのが相当である。若しかかる場合に所有者が勝手に持去るも処罰しえないとすれば検察裁判に従事する職員の事実の誤認、手続に瑕瑾ある場合は常に自力救済を許すこととなり国家の秩序は保ち得ない。公安員の不当処分に対しては別に救済の道があり猥りに自力救済を認むるが如きは法律の認容するところではないのである」（高松高判昭二六・七・一二特一七・三〇）。

公務員の職務執行に対しては、たといそれが「事実誤認または手続の瑕瑾」にもとづくのであっても、余程特殊な場合でなければ後日訴訟によって争いうるのみで、私人が自力救済をなしえないと解すべきである。もしそうでないと、国家秩序が保たれないこととなるであろう。

つぎに仲介謝礼金を要求するため、公簿を隠匿した行為を窃盗とはしない旨の判決がある。

【40】「犯人Yの斡旋によって自動車を買受けたXが之を他に転売して多額の利益を得たのに拘らずYに対しては極めて僅少の謝礼をしたにすぎなかったので、Xとその買主Aとの間の所有権移転登録をなさないよう登録係員に依頼したが、係員は申請があれば受理しなければならないから、そのような申出には応じられないと述べて拒絶したので、Yは右自動車所有名義変更を一時妨害するためにはその登録簿を持去る外ないと考え、その登録原簿を持去った場合には、之に付て毀棄罪の成立することはあっても、窃盗罪は不正領得の意思を欠ぐから成立しない」（東京高判昭三〇・四・一九刑集八・三三七）。

請求権の成立自体が問題であるし、成立するとしても、その相手方でない官庁に対し、公簿の占有権、所有権を侵害し、または業務を妨害するもので、正当な自力救済の範囲に入らない。事情によって緊急避難の可能性はある。しかし公簿の隠匿は法益権衡を失する行為といえよう。ただ刑法上は、領得罪に不法領得の意思を要するとの判例の立場においても、「経済的利用処分する意思」を要するか（大判大五・一二・一一刑録二二・一九二七）、単に「権利者を排除して利用する意思」で足りるか（最判昭三三・四・一七刑集一二・六・一〇七九）という点に関して見解が分れており、後者によれば本件でも窃盗罪とならねばならない道理であるが、前者に従ったものといえよう。

二　横　領

報酬請求権を保全するための横領行為が違法とされた高裁判決がある。

【41】「集金した金員を被告人が保管中自己の用途に供する目的で会社に入金しないで、着服横領した。（中略）該金員の所有権が判示会社にあること明白であり且被告人は遅滞なくこれを判示会社に入金する義務があるに拘らずこれを擅に自己の用途に充てるために着服したことは明白である（中略）被告人が固定給の外に歩合で報酬を受くる権利があつたとしても、判示のような目的で判示会社に入金せず着服することは許されない」（東京高判昭二六・四・一二特二一・六七）。

たとい、被告人に報酬請求があるにしても、それの保全のための緊急の必要性もない本件において、被告人の横領行為の違法性は阻却されないと解すべきであって判示は正当である。

三　仲介人の自助売却

定期取引の仲介人に特殊な自助売却権の慣習をみとめる。

【42】「定期米取引ニ付キ証拠金欠乏シタル場合ニ注文者ガ追証拠金を差入レザルトキハ仲買人ニ於テ注文者ノ意思如何ニ拘ハラズ当然手仕舞ト為スベキ慣例ハ相場ノ変動ニ因リテ注文者ノ被ルベキ損失ヲ少カラシムル為メニ存在スルモノナレバ毫モ公ノ秩序ニ反スル所ナシ」（大判明四〇・九・二三民録一三・八八一）。

最近においても同様の判決がみられる。

【43】「(定期米取引の) 仲買人ガ委託者ノ注文ニモトヅキ売買ヲ実行シ委託者ニ其通知ヲナシタルトキハ特ニ証拠金差入ノ通知ヲ発セザルモ委託者ハ当然所定ノ証拠金ヲ仲買人ニ差入ルベキ慣習アルモノトス」「仲買人ガ委託者ノ注文ニモトヅキ売買ヲ実行シタルニ拘ラズ委託者ガ相当ノ期間内ニ証拠金を差入レザル場合ニハ仲買人ニ於テ随時建米ヲ処分シテ手仕舞ナシウル慣習アルモノトス（要旨）」（東京控判大九・六・九評論九諸法二六八）。

【44】「東京市ノ定期米市場ニ於テ相場ノ変動ニヨリ追証拠金納入ノ必要ヲ生ジ之ガ払込ノ通知アリタルニカカワラズ委託者之ヲ払込マザルトキハ仲買人ニ於テ任意ニ建玉ノ処分ヲナシ因テ生ジタル損失ヲ委託者ニ帰セシムルノ慣習存スルモノトス」（東京控判大一二・五・二〇評論一三諸法三七）。

【45】「大阪証券取引所の会員たる証券業者の間においては、顧客の株式等の売買委託に関する取引業務上顧客が普通取引の方法による株式買付の方法による株式買付の注文をし、これに基き買付が成立したに拘らず、爾後四日の日において現金を当該証券業者に支払い引換えに当該買付株式現場の引渡を受ける方式による決済を遅滞し、その後相当期間の猶予を与えてもなお決済をしないときは、更に期限を定めて決済を催告するとともに、決済しない場合には当該買付株式を顧客の計算において売却する旨予告し、右期限を徒過したときは、当該顧客から右株式の新規の売付委託があつたものとして反対売却しその代価と先行する買付の代金額とを差引計算し右反対売却による代金額が買付値段に満たないときはその差額を反対売却の手数料とともに当該顧客に請求し、その支払を受けて先の買付取引関係を終結するという事実たる商慣習が存する」（大阪高判昭三七・一二・六判時三三三・一一五六八）。

五　住居侵入と自力救済

住居侵入は、土地家屋の明渡のために貸主による自力救済としておこなわれる場合があることは後述のとおりであるが（七八頁以下）、ここでは動産の奪還の手段としての住居侵入についてのべる。

【46】 $Y_1$$Y_2$ほか二名は昭和一四年八月二日Xと某温泉旅館で詐欺賭博開帳の直前に、Xが$Y_1$$Y_2$から開帳資金として寄託された千三百円を持って行方をくらませたので、Y_1ら四名は右金員を取戻すため、共謀の上翌三日午後九時頃Xの本宅に赴き戸外からXに接見を求めたが、既に戸締をして就寝中の家人から謝絶されたのに、二名は施錠のない勝手口から戸を開けて押入り、他の二名は表口から侵入した。原審は家宅侵入罪に問うた。$Y_1$$Y_2$は上告し、$Y_1$等の侵入方法はやや穏当を欠くが、当時の情況としては金員取戻のために焦慮の余り自制心を失して斯る行動に出たのは人情として止むをえず、一種の自救行為として無罪とすべきだと主張した。

「自救行為ノ如キハ各個人自ラ権利ノ救済ヲ実力ニ訴ヘ実現セントスルモノニシテ其弊甚シク整然タル現時ノ国家形態ノ下ニ於テ到底許容セラルベキ権利保護ノ方法ニ非ズ固ヨリ法ハ正当防衛緊急避難等之ヲ許容セル場合アリト雖是レ全ク緊急止ムヲ得ザル特殊例外ノ場合ニ属シ法ハ其要件ヲ極メテ厳格ニ規定ス。漫リニ明文ヲ有セザル自救行為ノ如キニ及ボスベキモノニ非ズ、判示行為ガ該要件ヲ充足セザルコト多言ノ要ナク又判示行為ガ微細ナル反法行為ニシテ処罰ニ値セザルモノト認ムルヲ得ズ」（棄却）（大判昭一六・五・一二刑集二〇・二四六）。

本件判示は「自力救済」に厳格な態度をとった典型的なものである。しかしまずY_1らは不法原因給付をなしたのであるから、返還請求権がない。その意味で自力救済が成立しないのだという説もある（植松・刑事法学研究一巻二二四頁以下、高田・法協六〇巻六八二頁以下、坂本・刑事判例研究一三三頁以下）。しかし判決は返還請求権を肯定しているようであり、私も肯定すべきものと思う。$Y_1$$Y_2$はXに金員を寄託していたのであるから、不法原因給付となるのは占有利益のみで、所有利益は$Y_1$$Y_2$に残存すると見るべきであろう（松坂「事務管理・不当利得」（法律学全集）九四頁、我妻「事務管理・不当利得・不法行為」（新法学全集）八二頁、有泉「不法原因給付について」法協五三巻六八七頁、反対、谷口・不法原因給付の研究一九八頁）。それでは所有権にもとづく返還請求権があるとして、その自力救

済をなしうるか。判決は正当防衛、緊急避難などの規定を「漫リニ明文ヲ有セザル自救行為ニ及ボスベキモノニ非ズ」とするが、「漫リニ」とは、場合によっては、すなわち「緊急止ムヲ得ザル特殊例外ノ場合」には及ぼしうることを意味するといえようか。しかし「明文ヲ有セザル云々」の文言からは、そのような場合でもみとめえないで、「漫リニ」は無意味な修飾語にすぎないとも解されうる（明文のあるものでも例外の場合に限られるぐらいだから）。しかし、当時の情況からみると緊急の必要性は充分みとめうるものであるから、焦慮していた点も考慮して、一般的、緊急的自救として、侵入の程度によっては違法性を阻却すると解したい（明石「我国の判例に現れた自救行為」法学論集二・一・一〇六以下参照）。いずれにしても自力救済であるが故に一般的に否認しようとする判決の態度は、学者の一般に非難するところである（植松・前掲、高田・前掲など）。

つぎに不当な差押物の自力奪還のために住居に侵入する行為を有罪とする高裁判決がある。

【47】　非差押品の実力による取戻の事件である。すなわち昭和二五年一二月二〇日、八王子税務署はAの税金滞納処分として、その家財道具を差押え、それをB倉庫に引き上げたが、その差押物の中にAの子供の普段着類が入っており、これは民事訴訟法五七〇条一項一号によって差押ええない物品に指定されておるところから、Aの依頼をうけたYら二十数名が税務署へ再三電話したが要領をえないので、平穏に交渉する希望を失った結果、Yらは右倉庫に無断侵入して右の差押うべからざる動産八点を自力で取戻した。

「右差押品であるベビータンス一棹中に非差押品であるA方子供の普段着衣類数点が入れられた儘B倉庫内に引き上げられ、これについて被告人Yが八王子税務署職員に再三電話を掛け、B倉庫まで出張を求めたが要領を得なかつたことは、いずれも所論の通りであるとしても、これにより前記動産八点についての差押が直ちにその効力を失うものでないことは勿論であり、被告人等としては、直接八王子税務署に赴いて当該係員に面接して右非差押品である衣類数点の取戻方を折衝する等正規の手続により、これが取戻を計るべきであつて、これによることを得ない程切迫した衣類取戻の必要性がある状態であつたことは記録上認められないにもかかわらず、被告人等は前記差押品八点全部を実力を以て取戻すことを共謀して前記のようにこれが保管場であるB倉庫内に故なく侵入して倉庫からこれを運び出し取戻したのであるから、被告人等の所為に刑法第三七条一項にいわゆる他人の財産に対する現在の危難を避くるため已むことを得ざるに出でたる行為に該当するものということはできない。しからば右被告人等の所為が緊急避難行為として罪とならないものと主張する趣旨はいずれも理由がない」といい建造物侵入・窃盗罪として処断した（東京高判昭二九・七・二六特一・二・七八）。

これは違法な差押、いいかえれば、Aは公務員の不法行為によつて占有を失つたものである。この差押は本来無効と解すべきであろう。判決は「直ちに効力を失うものでない」というが、差押禁止物に関する範囲では無効と解するのが妥当であろう（兼子「強制執行法」（新法学全集）二一〇頁参照）。しかしそれにしても、法的手続にもとづく行為であるから、これの取戻にはやはり一定の手続を尽すべきである。電話のみの交渉でなく、面接による交渉をもつのが信義則にも合することである。また番人の制止を聞かず、多衆で倉庫に侵入するのは、余程に「切迫した取戻の必要性」がない限り違法性を免れないであろう。この判決もその緊急の必要性があれば自力救済もみとめられうることを示している。この判決の態度は妥当である。

新聞取材のための写真撮影を肖像権の侵害だとして、フィルムを奪取するために家宅に侵入した場合に、これを住居侵入罪とする高裁判決がある。

【48】「デモの隊員が合法的な条件の下に市中の繁華街を公然示威行進する情景を新聞社写真班が記事の取材活動として撮影することは社会の諸現象の知識及びニュースを読者に正確公平に頒布すべき新聞の使命

に鑑み当然社会的に許された行為といわなければならないのであり、所論肖像権の理念をもつて右活動を妨害することは、権利の濫用と評定しなければならない。まして、右写真フィルムの奪取を目的として写真班員の所在する他人住家の二階に家人の制止を無視して土足のまま駈け上り、室内を捜索する権利は到底これを認容することが出来ない。(中略)被告人の判示行為が住居侵入罪を構成することは論を待たない」(名古屋高金沢支判昭二八・一二・一二刑集六・一八七五)

判示は正当であると考える。写真班員の行為は職業上正当なものであるから、被告には回復請求権自体が成立していないと思われる。なお類似の事情の下で写真撮影した警官を逮捕したのを違法でないとした判決がある(【110】参照)。

六　家屋明渡と自力救済

家屋の賃貸借終了後なお占有を継続している賃借人を追出すために、家屋賃貸人(所有者)が無断で侵入したり、戸や障子をはずしたり、通路を塞いだりすることは、ややもすればおこなわれがちであるが、これは住居侵入、営業妨害、強要などの犯罪・不法行為となる可能性が多い。外国でもしばしば問題となる。フランスでは、手段が暴行や脅迫を伴わないかぎり犯罪とならないが、ドイツでは比較的厳格に考えられているようである(しかし学説は分れ、賃借人には居住権はなくなっているのだから、との理由で犯罪を否定するものもある。Heyer, Selbsthilfe, Archiv für bürgel. Recht, 19 Bd., S. 94; なお、明石・前掲法学論集三・二・一〇二以下参照)。わが国の判決は必ずしも厳格だとはいえないが、やはり民事と刑事とにおいて差異があり、刑事判決では厳格で犯罪とされる場合が多いようである。刑法上の学説では、旧くは犯罪が不成立とする説もあるが(富田・日本刑法五二八頁、島田・日本刑法新論各論二三一頁)、今日では正当防衛などの要件の備わらぬ限り違法と解されているようである（牧野・増訂日本刑法五七一頁、安平・改正刑法各論上一六〇頁、泉二・日本刑法論下一〇四〇頁など）。

なお、土地や家屋の明渡のための自力救済については、前述の「占有の自力救済」の項に現れた判決の大部分がこれに関するものであることを注意されたい。

一　家屋明渡と営業妨害

債権の弁済請求のための営業妨害については既にのべたし（【34】）、また土地明渡の自力救済が業務妨害となる場合については後述するが（【73】【74】）、ここでは家屋明渡との関係において考察する。先ず借家法制定前の事件であるが、賃貸借の解約後、立退かせるための営業妨害について、不法行為の成立を否定した下級審判決がある。

【49】　XはAより家屋を賃借して文房具商を営んでいたが、YはAよりその家屋を買得し（明三八・四・一〇）、解約の申入をしたが、賃借の継続を交渉中、同五月八日Yは右家屋の街路に面する全部に板囲を施し、Xの営業を妨害した。Xより営業妨害による損害賠償を請求した。

「（先ず右板囲はXの承諾をえていないから不法の所為である）。然らばYの右不法の所為によりXの営業に関し果して権利の侵害ありたるやを審案するに被告Yは自己の所有権に基き前記家屋の明渡を原告Xに請求せるものなること双方の陳述により明白なるを以てXは登記なき賃借権を以て之に対抗し得ざるや勿論にして請求次第明渡をなす可き義務あるものとす此点に関する証人河合由太郎の証言中明治三八年四月三〇日迄には必ず明渡すの約なりし旨の供述は真実なりと認めらる。然らば同年三月一日より以後のXの右家屋占有はYに対する違約の所為にして所謂不法占有なり而して本訴は右不法占有に基き従来得らる可き営業上の利益を毀損せられたりと云ふにあるが故に右板囲により毀損せられたる権利はXの営業権なるが如しと雖も原告Xが営業権を有すと云ふことは如何なる場所に於て営業するやと云ふこととは全く別箇の問題にして前者はXが各人に対し有する権利なれども後者は其の場所の如何によりて然らざるなり何となれば其の営業権の行使は正当なる範囲なることを予想して認めらるるものなればなり然るにXは不法に他人の家屋を占有することによりて自己の営業利益を主張するものにして被占有者に対しては元来請求権を有せざるなり斯る場所に於て営業するの権利を主張し得ざる筋合なり則ち原告Xは五月一日以降に於ては前記家屋を使用して営業するの権利をYに対して有せざるなり。然らば本訴主張の如き権利侵害が右板囲により生ずるの道理なく且つXの営業権利は依然として毀損せられざるなり、然れども人は法定の手続によらざれば私に権利の強行を受けざるの権利を有するを以て右板囲により或は他に権利侵害あるべしと雖も本訴に何等の関係なし、以上の理由より原告Xの請求は結局其の当を得ず」(京都区判明三八・一〇・一四新聞三六二・一四)。

判決はYが板囲した行為をもつて不法行為だと一応みとめながら、それが「他に権利侵害」行為となるとしても、それは別論として、賃借権がない以上は、特定の場所でする営業権はないのだから、営業妨害行為にはならないとする。すなわち目的と手段とを分離して考察しようとする。本件は借家法制定以前だから、借家人Xには借家法第一条のような対抗力は与えられない。Xは賃貸借の登記をしていないかぎり、家屋の新所有者Yに対抗しえず、Yの解約申入れ後三ヵ月をもつて当然に賃貸借は終了する(民六一七)。賃貸借終了後の賃借人の占有は不法占有とされるが、しかし占有権は失わないと解すべきであるから、板囲は占有の妨害となる程度であれば、それの排除と損害賠償が請求しうべき道理である。それにしても、Xの過失相殺やXの不法占有中の不当利得ならびに明渡債務不履行にもとづく損害賠償を勘案すれば、結論的にXは何程も賠償を得られないか、或いはむしろ負債となるであろう。

ところがつぎに、刑事事件において、大審院が営業妨害罪をみとめる判決を出した。

【50】 Yは X の賃借家屋を所有者Aから買い、Xに明渡を求めたが応じないので、明渡の訴を提起中、修繕と称して、右家屋の前面道路上に、家屋から約三尺隔つた線に、板と莚で高さは二階の屋根に達し横幅は同家の殆んど全線に達する板囲をなし、Xの営む旅館の看板店灯等は街路から見えず、屋内への光線も遮断してXの営業を妨害した。原審は営業妨害罪に問うた。Yは上告し、Yの行為は所有権の行使にすぎず、家屋の修繕は保存行為であるから、権利行為として違法でないと主張した。

「YハXニ対シ家屋明渡ノ訴ヲ起シナガラ其結果ヲ俟テ適法ノ手段ニ出ヅルコトヲナサズ名ヲ修繕ニ藉リ其実Xノ営業ヲ妨害シ因テ其立退ヲ早メル目的ヲ以テ判示ノ如ク板囲ヲナシタルモノナレバ本件Yノ行為ハ修繕ニ非ズシテ営業妨害ノ手段ニ外ナラザルモノトス。而シテYガ本件家屋ニ対シ所有権ヲ有スルト同時ニXモ亦営業ノ自由ヲ有スルガ故ニ縦シヤXニ於テ本件家屋ガYノ所有ニ帰シタル結果之ニ居住スルノ権利ヲ失ヒ其占拠ハYノ権利ニ対スル侵害ナリトスルモ其救済ハ自ラ他ニ方法アリ其侵害ヲ排除スルタメ自ラ暴力ヲ用ユルヲ許サズ。然ルニYハ名ヲ修繕ニ藉リテXノ営業ヲ妨害シタルモノナレバXハ之ガ為メニ其営業ノ妨害ヲ甘受セザル可カラザルノ理ナシ。随ツテ右居住ノ権利ノ有無ニ拘ハラズXノ営業ヲ妨害シタルトキハ営業妨害罪ノ罪責ヲ免ルル能ハズ……(Yの右の如き行為は)暴力ヲ以テ被害者ノ自由ヲ制圧スルモノニシテ刑法第二三四条ニ所謂威力ニ外ナラズ」(棄却)(大判大九・二・二六刑録二六・八二)。

本件も借家法制定以前のものであるから、前提は前の判決と大体同一であるにかかわらず、Yに刑事上の責任を科した。もつともYのとつた手段は前の事件よりも激烈である。判決が「名ヲ修繕ニ藉リ事実Xノ営業ヲ妨害シ」たものだといつているのもそのためであろう。確かに手段は公序良俗に反する程度に至つているであろう。判決の結論は正しいと思われるが二、三の疑問がある。「営業の自由」というも、前の判決のいうように、既に不法占有となつているYにおいて、特定の場所でする営業の自由を主張しうるや疑問である。また「其救済ハ自ラ他ニ方法アリ」というのはYに緊急の必要性がある場合にも実力行使を許さぬ趣旨だとすれば賛しえない（なお牧野・刑法研究三巻一四九頁、草野・刑事判例研究（巻一）三六六頁参照）。

前述のように、特定の場所でする営業権は既に消滅していると思われるから、本件がもし民事事件であつたら、前の判決と同様に結論は反対になつていたであろうと想像されるが、大審院においてこの想像の通りの民事判決がつぎに出ている【52】。なおその前に、最近、家主が修繕のために侵入し、毀物を損壊した場合になお違法性がない旨の地裁の刑事判決が出ているのを紹介しておきたい。

【51】　被告人Yは昭和三〇年頃映画興業師Xに劇場建物（Yの内妻名義のもの）を賃貸した。YはXに改築を理由に閉館を申入れておいたがXが多額の補償を要求して仲々応じないので、Yは修理に着手する旨通告した後、五名の職人を連れて侵入し天井板一五〇平方米、屋根のトタン板一平方米を剝し、観覧席に落下させて同劇場を損壊し、開館を不能ならしめた。住居侵入、建造物損壊、威力業務妨害罪として起訴された。

「民法第六〇六条には、賃貸人が賃貸物の保存に必要な行為をしようと欲するときは、賃借人はこれを拒み得ない旨が定められており、賃貸物の保存に必要な場合には、賃貸人は賃借人の意に反してもこれをなし得るものと解されるのであるが、以上の認定ならびに被告人の弁解からすると、被告人が天井、屋根を引き剝いだのは建物を維持するため、つまり建物保存のために必要な行為であると認めざるを得なくなるから、被告人が賃借人たるXの意に反して該建物に立入り、前記の所為に出ることは、一応正当行為として許される如き外形を呈する。もとより他の違法な意図を持ちながら保存行為を口実に建物に立入り、天井、屋根を引き剝ぐとか、或は映画興業の最中に右のような所為に出るとか、公序良俗の見地から妥当と認められる範囲を逸脱している場合においては、犯罪の成立を否定し去ることはできないのであるけれども、本件において特にこのような事情の存することは認め難いところである」（仙台地判昭三六・六・一二下級刑集三・五八一）。

本来家主は強力な修繕権を有し、賃借人はそれを忍ばねばならない（民六〇六Ⅱ・六〇七）。ただその濫用があつてはならない。その限界は相当にむずかしいものがあろう。

【52】　XがYより家屋を賃借して温泉を経営していたが、Yは昭和三年四月上旬に解約を申入れ、七月中には契約は終了した（民六一七2）。昭和四年五月以降Yが自力でこの家屋を占拠した。Xは営業権侵害の不法行為にもとづく損害賠償を請求した。原審（東控昭一一・七・二七）は「昭和四年五月以降Yニ於テ該物件ヲ占拠シXノ占有ヲ排除シタルハ正ニ所有権者トシテ正当ナル権利行使ニ外ナラズ、為メニ右Xガ該物件ヲ使用シ営業ヲ為スコト能ハザルニ至リタリトハ謂ヘ同人ハ最早ヤ適法ニ物件ヲ使用シテ営業ヲ継続シウベキ権限ナキモノナレバYノ右占拠ニヨリ何等Xノ権利ヲ侵害シタルモノトハ認メ得ザルヲ以テ、Yノ主張ノ如キハ不法行為ヲ構成スルモノニ非ズト謂ハザルベカラズ」と判決した。Xは原審が私的暴力を肯するものだとして上告したが、

「依テ案ズルニ（中略）所論ノ如クYガ右物件ニ関シXノ占有ヲ排除スルニ付キ執リタル私力的権利行使ノ方法が穏当ナラズトセバソノ方法自体或ハ犯罪ヲ構成スルコトアルベク或ハ権利濫用ニ因ル不法行為ヲ成立スルコトアルベキモ之ハ全ク別問題ニシテ之アルガタメ賃貸人タルYガ賃貸借終了後賃借人Xノ賃借物件ニ対スル占有ヲ排除シタコトヲ以テ直チニ同人ノ右賃借物件ヲ使用シテ為ス営業権ヲ侵害スル不法行為ナリト断ズルヲ得ザルヤ勿論ナリ、原判決ハ其説明簡ニ過ギ徹底ヲ欠グ点ナシトセザレドモ其ノ趣旨トスル所ハ全ク玆ニ存スルモノナルコトヲ観取スルニ難カラザルヲ以テ原判決ニ私力的暴力ヲ是認スル違法アリトスル論旨ハ理由ナシ」（棄却）（大判昭一二・一一・一六判決全集四・二二・六）。

ここでも【49】と同じように、手段と目的とを区別し手段が犯罪または権利濫用となつても、それは別個に考えれば足るという。私もこれに賛したい。

ところがまた最近、業務妨害罪をみとめる最高裁判決が出た。

【53】 肥料商Yは某からの借家に店員Aを住わせて支店を開かせたところ、その後Aは応召したので、Aの妻Xに引つがせたが、Aが戦死し、戦後XはYと主従の縁を断つた。Xはその家屋で古物商を営んでいるので（家主はむしろXに加担）Yは警察へも訴えたがラチが開かず、大工がその店舗を改造中にYは怒鳴り込んで、表硝子戸をはずし杉板を釘付けにしたり、Yの箪笥を持込み、看板をはずすなどの威力を用いてXの営業を不能ならしめた。一、二審ともYは有罪。控訴審にてYは正当防衛又は自力救済だとして無罪を主張したが容れられず、さらにYは、正当防衛を主張するとともに、原判決は基本的人権を無視した違法の判決だとして上告した。

「論旨には、原判決は憲法に違反するというが、原判決のどの点が憲法の如何なる条規に違反するかを明示しないばかりでなく、所論の本件被告人の所為は自救行為であつて無罪であるとの主張は刑事訴訟法四〇五条所定の上告理由にあたらない。しかし原判示のXが判示の家屋を占拠するのは、被告人Yの該家屋に対する賃借権を侵害するものであつても、被告人としてはこれが侵害を排除するためには須らく国家機関の保護を求むべきであり、自ら判示の如く威力を用いて同女の営業を妨害する如きは法の認容しないところと云わねばならない（原判決は本件について刑法三六条三七条の要件の具備する事実は認定していない）この点に関する原判決の説示は相当であつて論旨はとるを得ない」（棄却）（最判昭二七・三・四刑集六・三四五）。

XY間の家屋貸借関係（正確には転貸借）は使用貸借或いは全くの無関係（不法占有）であるのかもしれないが、一応のXの占有権はみとめねばならないから、緊急の必要性がない以上は、刑事責任としては違法な自力救済となるであろう。判示は「須らく国家機関の保護を求むべきである」というが、緊急性の有無は考慮しない趣旨か否か不明である。しかし「自ら判示の如く威力を用い」といつているところをみると緊急性の有無をも考慮した上で本件事案では手段が適当でないという趣旨にもとれる。むしろこの趣旨であつてほしいと思う（判批、伊達・刑事判例評釈集一四・五五参照）。

また不法占拠者に対する自力救済を違法とする高裁の民事判決もある。

【54】　Y鉱業所内の売店主Aが廃業した後、その雇人Xは単に一課長のみの許可を得て売店を開いたが、Yはその労働組合Bの要求により、Xにその明渡を度々要求したが、Xがこれに応じないので、焦慮の余り激昂したYの従業員代表Cらは、Xの商品を戸外に放棄したりして実力で明渡をなさしめた。Xは損害賠償を請求する。

「C等の行為は正当な手続によらない実力による明渡の断行であると認めうる。（中略）Yの助役らもこれを黙認したから、Yは共同不法行為者として右実力による明渡断行によつて生じたXの損害を賠償する責に任じなければならない。ところで、(1)野菜類の戸外への放棄により（中略）五万円の損害を賠償しなければならない。(2)本件は正当な手続によらないで実力をもつて明渡を断行した点に於て不法なものがあるけれども、もともとXはYより正式に許可を受けて右売店を営んでいたものではなく、Aが廃業届をした後は、Yに対しては不法占拠の関係にあつたことが認められるから、引続き当然これが営業継続をなしえたことを前提とするYに対する請求は理由がない」（広島高判昭三一・六・二七民集九・三九六）。

本判決は同じく民事判決たる【49】【52】とは結論が反対のようにもみえるが、実は結論的には同じである。すなわち手段と目的とを分離する考え方に立ち、手段たる野菜類の放棄による損害賠償はみとめるが、本来不法占拠していたのだから、営業継続をなしえたことを前提とする損害の賠償請求はできないとする。妥当であろう。しかし本来、会社の従業員たるCらがXに対し明渡請求権を有するものではなく、CらがYから委任をうけてXに実力を行使したのでもないから、むしろ会社のための自力救済といえる。緊急の場合以外は許さるべきものでもない。

つぎに正当な借家権者に対する立退強制のためのいやがらせに、通路をふさぐ行為を業務妨害罪をもつて処断した高裁判決がある。

【55】　N会社が地主Aから借地して建物を建て、会社解散後その建物はAに帰し、XがAからそれを借家して診療所を開業した。N会社もXも借地または借家の使用に必要な限度で公道までの空地通行をAから実際上みとめられていた。つぎにAからその土地建物を買とつたYがXの家屋明渡を強要するため、X居宅の表出入口の直前に鉄条柵を廻らして公道への出入を至難ならしめた。

「およそ建物の賃借権又は建物所有を目的とする宅地賃借権を所有する者は、その賃借建物又は賃借地使用の目的実現に必要な限度において、同借家の出入口又は借地上に自ら所有する建物の出入口の各直前および之に連接して右各建物の敷地所有者と同一地主の所有する空地を使用するが如きことは、右賃借地に付随する当然の権利と解するを相当とする。（中略）右被告人の所為を以てXの医業に対する威力妨害罪とした原判決は正当である」（東京高判昭二九・六・九刑集七・七・一〇四七）。

これは前の諸事件とは異り、Xの正当な借家権がまだ存続する。家主の行為には緊急の必要性もみとめられず、明渡強制のための単なるいやがらせである。借家の使用に必要な範囲で家主所有の隣地を使用するのは、信義則上みとめられる賃借権の内容だと考えられる。殊に公道への通路の如きは、袋地でなくとも、右の意味から当然といえよう。Xは通行に必要な範囲で柵を自力除去することもできると解すべきである。判決がYの行為を業務妨害罪に問うたのはけだし妥当であろう。

二　家屋明渡と住居侵入

借家人が賃料を払わないので、家主が賃貸借契約を解約した後、無断でその貸家に立入る行為を正当防衛に当らず、住居侵入罪をもつて処断した判決がある。

【56】「刑法第百三十条ヲ以テ故ナク人ノ住居ニ侵入スル行為ヲ罪トシテ罰スル所以ノモノハ其ノ行為ニヨリ居住者ノ使用権ヲ侵害スルガタメニ非ズシテ住居内ニ於ケル生活ノ安穏ヲ保護セントスルニ在ルコト言ヲ俟タザルトコロナルヲ以テX（借家人）ガ被告人Yヨリ其ノ所有ノ判示住宅ヲ賃借シタルニ賃貸借契約解除ノ結果、該住宅ニ付法律上使用権ヲ有セザルニ至リタルトスルモ事実上之ニ居住スルニ於テハ其ノ住居ニ対スル占有ガ適法ニYニ回復セラレザル限リ、Yハ其所有権ニ基キ之ヲ使用スルニ由ナクXノ住居ノ安穏ハ尚保護セラルベキ状態ニ在リト云ハザルベカラズ。然ラバYガ適法ニ判示住宅ニ対スルXノ占有ヲ解クコトナク之ニ立入リタル行為ハ叙上住居侵入ノ罪ヲ構成スベキモノニシテ正当ニ所有権ヲ行使シタルモノニ非ザルハ勿論正当防衛ヲ以テ目スベキニ非ズ蓋シ所論Xノ不法占拠ハ賃貸借契約ノ解除ニ因ル明渡ノ義務ヲ履行セズ引続キ判示住宅ニ居住スルモノタルニ止リ正当防衛ノ要件タル急迫不正ノ侵害ニ該当セズ従テ之ヲ排斥スル行為ノ正当防衛ニ非ザルハ論ナキトコロナレバナリ」（棄却）（大判昭三・二・一四新聞二八六六・一一、評論一七刑二五三）。

賃貸借の終了後であつても、なお賃借人は占有権（不法占有ではあるが）は有するのであり、無断で立入れば住居侵入といえる。なお家主Yの明渡強制のためにする侵入行為は正当防衛をもつて主張すべきではなく、自力救済を主張すべき性質のものである。それにしても緊急性の要件を充していると思えないから、違法自救となり違法性阻却事由となりえない。

つぎにまた、賃料を滞納している借家人の床店への侵入を住居侵入罪とする大審院判決がある。

【57】Yはその所有する床店をXに賃貸し、Xが賃料を払わないので、賃貸借を解約し明渡を請求したがXは応じない。YはXを排除するため床店に侵入した。原審はYを建造物侵入罪に問うたので上告した。

「Yが賃貸借契約ニ因リXニ賃貸シタル判示床店ニ付Xガ約旨ニ違ヒ賃料ノ支払ヲ怠リタル為Yハ契約ヲ

解除シ右床店ノ明渡ヲ請求シタルニ拘ラズXガ容易ニ其ノ請求ニ応ゼザリシ場合ニ於テ所有権ノ行使ニ対スル不法侵害ノ排除ヲ目的トシテ国家ノ強制力ヲ藉ルコトナク自力救済ニ訴フルコトハ法ノ許容セザル所ナレバYガ借主タルXノ現実占有セル床店ニ侵入シタル行為ハ固ヨリ急迫不正ノ権利侵害ニ対スル正当防衛権ノ行使ニ非ザルハ勿論ナルヲ以テXノ占有ガ不法ナルト否トヲ問ハズYガ国家機関ノ保護ヲ仰ガズ権利ノ実行トシテ自力救済ノ手段ヲ執リタル違法アルモノト謂ハザルベカラズ然ラバ原判決が被告人の判示所為ヲ認メ之ヲ建造物侵入罪ニ問擬シタルハ正当ナリ」（棄却）（大判大一五・三・二三評論一五刑九九）。

これも前と事案は似ているようであるが、判決は前とは異り、自力救済と正当防衛とを区別し（もっとも文言の解しようによっては両者を混同しているようにもとれないことはないが）、本件を自力救済と考えているのは妥当である。しかし賃借人を解約後に排除するには常に国家機関の保護のみによるべきで自力救済は法が一般的に許容しないかの如き言い方をしているのには賛しえない。

つぎには、弁護士の鑑定にもとづいて自力救済としてなした家宅侵入が違法とされた判決がある。

【58】 商店の共同経営者XY間の紛争の示談契約にもとづき、Yは賃借家屋を貸主Xに明渡した。右示談契約に不満なYはB弁護士に相談した結果、右示談契約に詐欺強迫の瑕疵があり、取消の意思表示をすれば、右家屋に無断で侵入して従前通り営業してもかまわないとの鑑定をえたので、YはB弁護士作成の内容証明郵便をもって、右示談契約の無効および取消の通告をなすとともに、貨物自動車四台に人夫二〇人、営業用什器などを満載して右家屋に至り看守人の意思に反して侵入した。原審はYを家宅侵入罪に問うた。Yは上告理由として、罪となるべき事実も権利行使または許された行為と誤信したとき、この誤信が社会観念上相当の理由があれば犯意を阻却し犯罪を構成しない。Yは専門家たる弁護士の意見を求め、法律上正当な権利行使との鑑定にしたがって行為したのであるから犯意を阻却する。現今の社会状態では、ある行為の法律上

の適否についての疑義は、疾病について医師の診断をうけると同じく、弁護士の鑑定にしたがうのが適切最善の方法であると主張した。

「罪トナルベキ事実ノ前提トナルベキ事実ニ属スル法律関係ノ錯誤ハ諸般ノ事情ニ照シ其ノ錯誤ヲ来スベキ相当ノ理由アリト認メラルル場合ニ於テハ畢竟罪トナルベキ事実ノ錯誤ヲ来スコトナキニ非ズト雖刑罰法規ノ解釈ヲ誤リ犯罪行為ヲ法律ノ認容シタル行為ナリト誤信シタリトスルモ刑法第三十八条第三項ニ所謂法律ヲ知ラザルモノニ該当スルモノトス（中略）叙上ノ如ク侵入シタルハ即チ弁護士及Y等ニ於テ刑法第百三十条ノ解釈ヲ誤リタルモノト謂ハザルベカラズ尤モ原判示ニ依レバ右弁護士ニ於テ更ニ叙上示談契約ガ詐欺又ハ強迫ニ依ル瑕疵アルモノナレバ右契約無効ノ通告及取消ノ意思表示ヲ為スベキ旨告ゲタルヲ以テY等ニ於テ之ヲ信ジタルガ如キモ斯ル瑕疵アル示談契約ナランニハ須ラク国家機関ノ保護ヲ仰グベク自主救済ヲ為スベキモノニ非ザルコト法律秩序ノ観念ニ照シ疑ナキヲ以テ犯意ヲ阻却スベキ相当ナル理由ヲ欠如スルモノト謂フベシ」（棄却）（大判昭九・九・二八刑集一三・一二三〇）。

本件は違法の認識が故意の内容となるか否か、云いかえれば、法律の錯誤が犯意の成立を阻却するか否か、という刑法上の論争点に関する問題であるが（本件に関し、滝川・刑事法判決批評第一巻六五頁以下に詳細に論ぜられる）、その刑法上の論争は別として、具体的に本件の事案についてみて、法定の資格を有する弁護士の鑑定は、素人にとつては法そのものとみてもよいのであるから、違法の自力救済でも、それが特に著しく条理ないし常識に反するものでないかぎり、それを違法とすべきではなく、少なくともYにとつては事実の錯誤として錯覚自救を問題とすべきであろう。なお、判決が自力救済の要件を検討することなく、常に違法視しようとしているのは従来の判決と同じ態度である。これも同じく刑事判決であつたことが注目される。

しかし戦後においては、同じく刑事判決でも緊急の必要性があれば自力救済がみとめられる傾向に進む。つぎの高裁判決がその一つである。

【59】 被告Yは X（料亭営業）に賃貸中の家屋の明渡の調停において、昭和二五年七月一五日迄に明渡する旨の調停が成立していたのに、同年一月二七日午後四時頃、YはXの看守する該家屋の裏門板塀を立木の枝を伝つて乗越えて侵入した。Yはその家屋付属の土蔵中にあるYの所有物に対する盗難予防の必要のためだと抗弁するが住居侵入罪に問われた。

「(一、調停においてXは立退先が見付かれば直ちに明渡す旨の合意があつた。二、Xは他の家屋に事実上移転して、Yの家屋を使用せねばならぬ必要はないのに報復感情から荷物だけ残置して不法な占有を継続していたこと、が認定されたが）しかしながら、権利者が自己の権利を実現するためには、すべからく公力の救済を仰ぐべく、特別の事情がない限り自力による救済の法律上許されないことは勿論であるところ、特別の事情もないのに、合法の手段によらず、占有者の意に反して他人の看守する家屋に侵入した被告の所為は刑法第一三〇条に該当する。（中略）当時被告人が盗難予防のため本件家屋に立入らねばならぬ緊急の必要があつたことを認めえない」(名古屋高金沢支判昭二六・五・九特三〇・五五)。

判決が「特別ノ事情」といい、「緊急の必要」といつているのは、このような事情のある場合には自力救済をみとめうることを暗示したものといえる。本件の具体的解決としては判決の結論は妥当と考える。

つぎに賃貸借の継続中に家主が貸家の屋根瓦を剝奪したのを不法行為とした判決がある。

【60】 XはYの家屋を賃借し、妻子五人と同居していた。Yは訴外Aから先きに瓦千五百枚を借りていたが、その返還を請求されたので、YはXに右家屋の瓦を取払うから明渡すよう要求した。Xは他に家の見つかるまで猶予を乞うたが、Yは遂に一ヵ月以内に瓦を取除く旨を申入れ、三ヵ月後、YはXの不在中多数の人夫を指揮して屋根瓦千七百枚を取除いた。Xは不法行為にもとずく損害賠償を請求する。

「Xは本件家屋をその所有者たるYより賃借しているものであり、本件家屋の屋根瓦の所有権はYに属するわけであるが、前示の通り被告において、賃借人たる原告の承諾なしに、故意に原告の右屋根瓦に対する占有を侵奪した以上、右Yの所為が原告の右占有に対する侵害として不法行為を構成することは明白であつて、Yはこれがため X の被つた損害を賠償すべきものである」「精神上の苦痛に対する慰藉料の額は一万円と定めるのを相当とする」（松江地判昭二六・一〇・二二下級民集二・一二二九）。

Yの行為は恐らく、Xの立退を間接に強制するつもりであつたのであろうが、それは違法性を免れず、判決が正当であることはいうまでもない。家屋賃貸人たるの義務としても、またXの家屋の占有権からみても、未だ賃借権の存続する現在において、瓦を除去すべき権利はなく、如何なる意味においてもYの自力救済は成立しないと考える。

つぎの判決は、家屋明渡を強要するため、屋敷内に侵入してバラックを建築する行為を不法行為だとする。被告は緊急避難を主張するが、みとめられない。事案に則して考えると判決は正当であろう。

【61】　被告Y（家主）は原告X（賃借人）に明渡を要求するため、借家の敷地内に勝手に侵入し、借家の南西に接して、Xの制止もきかず、間口四間、奥行一間のバラックを建築してXの採光、通風を害した。Yはそれより前、台風によつて自己の借家が浸水し居住不能になり、その必要から緊急避難としてなしたものだと主張するが、Yのバラック収去迄約九カ月の間にYは建築した当夜のほかは一日もそれに居住したことがないので、さし迫つた必要性は認められない。

「右認定のようなバラック建築当時の被告Yの態度、バラックの建築場所、その内部の模様、建築後の右被告の行動に照らすと被告Yは、右バラックに老母とともに居住しなければならない程のさし迫つた事情があつてこれを建築したものではなく、却つて原告に対し本件家屋明渡の目的を達する強行手段として強引にバラックの建増を行つたものであり、又自ら建築したバラックの場所、構造等からしてこの建築により、原告が占有している宅地の一部を原告の意に反して占拠することとなる外、原告の居宅が採光、通風ともに極めて不良となり、そのため原告をして採光、通風等につきその居宅の利用状態を著るしく阻害することを認識していたものと断ぜざるを得ない。およそ家屋の所有者が借家人に対し、かりに明渡請求権を有していたとしても、明渡の目的を達する手段として右認定のような建増をし、もつて借家人の居住家屋の通常の用法に従つて使用を妨げるようなことは許されないのであるから、被告Yが前記のようにバラックを建築して九カ月余にわたりこれを存置しておいたことは、明らかに原告の利益を害する不法行為であるといわなければならない」（東京地判昭二七・一一・二九下級民集三・一一・一七〇〇）。

つぎに家主が貸家の管理権にもとづいてその貸家に侵入する行為はやはり住居侵入罪を構成するとの高裁判決がある。

【62】「家屋の使用貸借又は賃貸借の解除後と雖も、その借家人において事実上これを住居に使用している限り、たとい所有権者又はその管理者においても、その権利の行使として適法な手段による官憲の救済によることなく、自力による救済に訴えることは、法の認容しないところであるから、仮に被告人において、家屋管理権の行使として本件所為に出でたとするも、本件犯罪（住居侵入）の成立を阻却すべき限りでない」（東京高判昭二七・一二・二三特三七・一四一）。

家主による修繕費請求権の保全を目的とする家宅侵入を違法とする判決がある。

【63】Xは家主Yより家屋を賃借入居したが、Xの入居当時にYが修理中であつたそのうちの二部屋の畳建具の修理費はX負担と約束されたのに、それを支払わないので、Yは右二部屋の使用を阻止するため、Yら数名はX方を訪れ、水洗便所の修繕といつわつて右の二部屋に侵入し、Xの箪笥などを勝手に運び出し、そこの壁二坪を落し、床板二坪を剝ぎとるなどした。Yは住居侵入罪に問われた。

「苟くも家族全員一定の家屋に事実上居住して営んでいる平穏な生活は、何人においてもこれを尊重しなければならないことは、直接に個人の法益保障の上から、次いでは社会公共の治安の上から当然とするところであつて、たとえ家屋の一部と雖も、居住者の意思に反して人の侵入を受けるときは、その生活の平穏を害さるべきことはまた洵に明らかなところであるから、その所為の、刑法第一三〇条にいわゆる故なく人の住居に侵入したものとあるに該当するものと言わざるを得ない（水洗便所の修理のためと称し、最初はXの承諾の下に適法に立入つたにしても、右の二部屋へは同意なく立入つたのであるから、住居侵入罪となる）」（東京高判昭二九・二・二七東京刑時報五・二・五〇）。

修繕費の借家人負担という特約が地代家賃統制令違反でないかという疑が濃いが（違反となるか否かは、その時の統制額と修繕の内容によつて異るであろう）、もし有効な特約だとすれば、家主は解約権を有する。しかしそれにしても、緊急の必要がないかぎり、無断侵入をし、暴力を行使したことは違法とされよう。

つぎの判決は賃料不払のため、借家人が明渡す旨の一時的遁辞を用いた場合と家主の自力救済の関係につき「被害者の承諾」の要件を備えないから、自力救済が物件毀棄罪になる旨の判決がある。

【64】　Xは被告人Y_1の母Aから、その所有建物の一部を賃借し、階下でパチンコ店を開業したが営業不振で家賃を滞納し、Aは家屋明渡の訴訟を起す一方、Y_1およびその弟Y_2は訴外において家賃の支払又は明渡の交渉を重ねた。Xは支払に窮して度々約束の期日も違えたが、ついに「五月七日までに滞納家賃の支払をしないときは、強制的に家を出されてもよい」とまで言つて一時の言逃れをし、その後も支払猶予を乞うなど一向に埒があかないので五月一九日Y_1らはパチンコ店に押入り、パチンコ機械をとりはずし、遊技施設を取こわしたので器物損壊罪に問われた。

「論旨は前示Xの「五月七日までに支払ができないときは、強制的に家を出されてもよい」との言辞を捉えて、被告人の本件所為は、被害者Xの承諾に基くものであるから違法性を阻却するというのであるが、本件記録によると、右の言辞は、（中略）Xが窮余の一策として当もないまま、つい心にもなく申し述べた遁辞であつて、当時の状況上、多分に心理的強制をうけてなされたかしある意思表示で、自由な真実の意思に合致するものとは認められないし、もともと違法性阻却の一事由である被害者の同意は、それが被害者の真意にもとずくものであることを要することは言を俟たないので右のようなXの言辞をもつて、被害者の同意があつたものとは到底認めることができない。（さらに被害者の同意は被害者の自由な真意に出たものであることの外、更にその同意は行為者の行為時に存在することを要するから、施設損壊の際Xの同意を確かめなかつたのは被害者の同意の有効要件を欠ぐ、とする原判決を支持する）」（棄却）（福岡高判昭三〇・九・二八特二・二二・一一四九）。

被害者の同意に関する判旨は正しいであろう。真意にもとづき且つ施設損壊の際に同意があることを要するものとする。ドイツにおいても後述のように、予めなした私力差押特約は、請求権としてのみ有効であつて、直接の自力行使の特約としては無効だというが、自力行使の際に同意があれば同様に解されうるであろう。

つぎに使用貸借関係にある家主（借家人の実兄であるが）の威力行使を明渡請求権の濫用だとはみとめない判決がある。

【65】X（兄・原告・被控訴人）は父死亡後、本件家屋を相続したが、ここに母と弟Yとを住まわせ、出奔して寄りつかなかつたが、母の死後、XはYに明渡を要求してきた。Yが応じないので、Xはトラックで荷物を運んできて家屋に押入ろうとしたり、Yの承諾なしに座敷に上り込んだりした。YはXの右の行為を非難し、明渡請求権の濫用だと主張するが容れられない。

「右のような経過においてはXが昭和一一年にこの建物から退去する際に、Yに対し永久に解約せぬ約束で使用貸借契約を結んだとは認定するに足りず、単に控訴人が母を扶養している間は無償でこの建物に居住することを許容したにすぎないものと認定するのが相当である。又権利濫用の抗弁についても、XがYとの使用貸借契約を解約して明渡を請求することが権利の濫用として許すべからざるものであると見るためには、この両者相互の間に何等かの特別の事情が存在することを要するもので（中略）Yがどのように母を扶養看護したとしても、そのことは母の死亡後いつまでもX所有の建物内に居住する理由にはならないものと解するの外はない（中略）Xの本件明渡請求は正当」である（大阪高判昭三〇・一一・一四判時六八・一七九九）。

本件を通常の使用貸借と同様に解してよいかは疑問である。母の扶養は兄弟で分担すべきであり、兄の負担部分は家賃と考え、賃貸借の成立をみとめるのが衡平に合致するのではなかろうか。しかしもしXに解約権があるとすれば、Xの右の程度の自力行使は、違法性のないものと解すべきであろう。

七　土地明渡と自力救済

土地についても、賃借権その他使用権の消滅した後に、地主が占有者を排除するため実力を行使することは、建物の場合と同じように起りがちである。これについて判例の態度は似かよったものがある。そして刑事と民事とで判決の結論が異なる傾向にあるのも同じである。これはやはり、民事事件が損害、殊に財産的損害の有無を問題とするのに対し、刑事事件は社会の安寧秩序の維持が先ず重視されるためであろう。

一　農地の返還請求のための自力救済

る。

賃貸借期間満了の後、暴力によつて奪還されたのに対し、占有回収の訴をなしうるとする判決がある。

【66】　土地所有者が賃貸期間満了後返還しない借主から暴力で奪いかえしたのに対し、

「占有物ニ付キ所有権ソノ他ノ本権ヲ有スル者ト雖モソノ本権ニ基キ占有者ニ対シ占有物ノ引渡ヲ訴求シ以テ自己ニ占有ヲ移スハ格別之ニ依ラズシテ占有者ノ意思ニ反シ占有ヲ自己ニ移スハ不法ニシテ占有ヲ侵奪シタル者タルコトヲ免レザルモノトス」「占有回収ノ訴ハ不法ニ占有ヲ奪イタル占有者ヲ救済スルタメ付与セラレタル訴権ナレバ占有者ハ苟モ不法ニ占有ヲ奪ハレタル以上ハ之ヲ奪ヒタル現占有者ノ何人タルヲ問ハズ之ニ対シ占有回収ノ訴ニヨリ占有物ノ返還ヲ請求スルコトヲ得ベク侵奪者ガ占有物ニ付キ所有権ソノ他ノ本権ヲ有スルコトハ右請求権ニ消長ヲ来スベキモノニ非ズ」（大判大八・四・八民録二五・六五八）。

賃貸借期間満了後は一応、不法占有とはなるが、なお占有権を有するのであるから、地主といえども侵奪することは許されない。侵奪すれば占有回収訴権を有することは当然である。

つぎには僭称地主からの賃借小作人が植付けた稲苗を、真正の地主が掘起した事件について、不法行為にならないとする判決がある。

【67】　XはBから土地を賃借耕作し、その地上に稲の苗床を設置した。しかしBは土地所有者Yの印鑑をAと共謀して不正使用した仮装の不真正所有者である。そこでYは万能をもつて苗床を掘返した。Xは不法行為にもとづく損害賠償を請求した。原審はXの賃借小作権はYに対抗しえず、稲苗は附合によつてYの所有に帰したから不法行為にならないとした。X上告。

「然レドモ本訴ハ本権ノ訴ニシテ占有ノ訴ニ非ズ而シテ原審ノ確定セル所ニ依レバ本件土地ハ被上告人ノ所有ナル処訴外Aガ訴外Bト共謀ノ上Yノ実印ヲ冒用シテ擅ニYヨリBニ之ヲ売渡シタル旨ノ売渡証書ヲ偽

造シBニ於テ其ノ所有者ナルガ如ク僭称シ居リタルモノニシテXハ縦令Bヨリ之ヲ賃借シテ耕作シ居リタルモノナレバトテ現ニ右土地ヲ占有使用耕作スベキ何等ノ権利ヲ取得シタルモノニ非ズサレバ縦令Yガ公力ニ頼ルコトナク自ラ実力ヲ行使シテ其ノ土地ニ対スルXノ占有使用耕作ヲ妨ゲタレバトテ上告人ハ之ニ因リ何等正当ノ利益ヲ害セラレタルモノトシテYニ対シテ損害ノ賠償ヲ請求シ得ベキモノニ非ザルコト論ヲ俟タス」（棄却）（大判昭一二・三・一〇民集一六・三二三）。

この事件では、自力救済は両当事者からも、また判決でも問題とされていないが、結論的には自力救済を認容したものである。本来Xは占有侵奪者Bからの承継人であるから、YがXの侵奪後直ちにBを排除したのであれば、Yの行為は占有自救となり（独民八六一Ⅱ、日民二〇〇Ⅱ参照）、またYにおいて自ら苗床を設置するなどの緊急の必要性があれば、緊急自救の成立も可能と思われる。しかし判決が駆使した理論は訴の種類と附合理論である。稲毛にまで成長していない稲苗の附合は是認すべきものと思うが（反対論多し）、Xは附合による償金請求権を有し（民二四八）、そのための留置権を土地の上に有するから、Yはそれを侵害しているのではないか。むしろ本件は自力救済の面からとりあげられるべきでなかつたかと思う。なおこの判決については、学者間に賛否両論が著しく対立しているが、特に自力救済を論ずるものはない（賛成＝犬丸・法学新報四七巻一四七一頁、永田・日本法学三巻八号七九頁、石本・法と経済八巻四四六頁、反対＝岩田・民商法雑誌六巻四八一頁、末弘・判例民事法昭和一二年度二三事件評釈）。ところがまた、最近全く同様の事案について、酷似の最高裁判決が出ている。ただここでは上告理由が自力救済の否認を強調している。

【68】　被上告人Yは上告人Xに交換契約にもとづき畑地を一旦Xに引渡したが、交換契約を合意解除し（昭二四・二・五）、Xはその植付けた小麦の収穫後Yに明渡すべき旨を約した。その収穫後もなおXは甜瓜を植

付けていた。雑草に混つて二、三葉程度生育しており、Xは土地の返還を拒否したが、Yは自力で鋤き返し、自ら甘藷を植えつけた。Xは所有権にもとづく土地の返還並びに、甜瓜や大根の植付不能による得べかり利益の損害賠償を請求した。一審でXが勝訴、二審でYが勝訴。Xは、(1)自力救済は法の禁ずるところだ。(2)Xが植付けた稲苗は無価値ではない、(3)土地交換契約ならびに解除につき知事の許可、農地委員会の承認の有無について判断していない、などの理由で上告した。

「右交換契約解除後は上告人は当時そこに植付けていた小麦を収穫するための外は、被上告人Y所有の本件土地を収用収益する権原を有しなかつたものというほかない。ところで、上告人が本件土地に同年五月中播種し終つて同年六月下旬には二葉、三葉程度に生育していた甜瓜苗が上告人の所有であるがためには播種が上告人の権原に基くものでなければならない。しかるに、右のように、上告人は播種当時から右小麦収穫のための外は本件土地を使用収益する権原を有しなかつたのであるから、上告人は本件土地に生育した甜瓜苗について民法二四二条但書により所有権を留保すべきかぎりでなく、同条本文により右の苗は附合によつて本件土地所有者たる被上告人Yの所有に帰したものとみとめるべきものである（大審院大正一〇年六月一日判決民録二七輯一〇巻三二頁、昭和六年一〇月三〇日判決、大判民集一〇巻九八二頁参照）。従つて右の苗が上告人の所有であることを前提とする論旨は所論原判示の当否を判断するまでもなく理由がない。つぎに、上告論旨は、原判決はXの占有中にYに対し土地返還を拒んだに拘らずYがこれを鋤き返し、現にYがこれを使用せる事実を認めながらYの自力救済を認容して、Xの請求を排斥したのは違法であると主張する。なる程所論原判示は本件土地に対する上告人Xの占有をYにおいて違法に侵奪したとするものに外ならないけれども、Xの本件土地に対する移転登記、土地明渡の請求は、いずれも本件土地所有権に基くものであり、損害賠償請求は、右甜瓜苗の所有権にのみ基くものであつて、本件土地の占有権に基くものでないから、原判決には所論のような違法があるとはいえない」（棄却）（最判昭三一・六・一九民集一〇・六七八）。

この判決でも、上告理由が自力救済否認論を強調しているのに対し、正面からは回答を与えないで、占有の訴ではなく、所有権にもとづく訴であることを根拠として上告を棄却している。しかも一応はYの自力救済を違法だとするものの如くでありながら、右の訴の性質上、これをとりあげようとしなかつた。本来、自力救済が違法であるとすれば、違法自救に対する効果として、損害賠償義務が成立する。ただ賠償の範囲は、占有を失つた損害か、所有権を失つたことの損害か、その時によつて決定すればよい。Xは兎も角もYの自力救済の違法性を主張しているのであるから、それに対する判決としては、占有の訴か本権の訴かを区別する要はない筈である。しかし、その自力救済が果して違法か否かは、Yの緊急必要性の有無などを慎重に検討して決すべきであり、上告理由のようにただ単に「自力救済は法が禁止している」といつてしまつたのでは妥当でない。なお以上の二判決は、つぎの【69】との関係で問題となる。

つぎに刑事上の問題としては、附合すると否とに関係なく毀棄の対策になるとの高裁判決がある。

【69】　被告人たる小作人Yと被害者Xとの間に紛争があり、土地所有権者AからXへの土地所有権ならびに耕作権移転は水戸農業委員会で農地調整法違反と決議され、耕作権は依然として小作人Yにあることが決定したのに、Xが農業委員会の調停をも拒否し、敢て稲苗を植付けたので、Yは数名の人夫を使用してXの稲苗を引抜き投棄した。暴力行為等処罰に関する法律第一条一項によつて処断された。

「所論は原判示水田にXが植付けた稲苗は刑法第二六一条にいわゆる損壊の対象とならないと主張するが、水田に植え付けられた稲苗は、所論附合（民法第二四二条）の原理により土地の一部となると否とに拘らず、刑法上の保護法益としての財物たる性質ないし価値を喪失するものではなく、しかも刑法第二六一条の規定を前三条の規定内容と対照すれば所論の稲苗が同条所定の物に該当し、いわゆる損壊の対象となることは明白であるから、数名共同してこれを毀損するにおいては、暴力行為等処罰に関する法律第一条一項の犯罪を構成すると言わねばならない。また所論は被告人等の本件行為は適法な自力救済行為であると主張するが……Xの所為が妥当を欠くものであつたことは窺うに難くないけれども被告人両名としてはかかる事情のもとにおいてもなお本件行為以外の合法手段により権利の救済を求める余地がなかつたわけではないと認められ、その権利保護の緊急性、これが救済手段としての本件所為の相当性、法益の権衡など記録に見られる諸般の情況において、本件行為をもつて違法性なき自力救済行為とする所論には左袒し難い」(棄却)(東京高判昭三一・一二・二八東京高時報七・五〇六)。

本件は【67】【68】事件とは事情が少し異る。植え付けたのが土地所有権も耕作権もないXである点は同じであるが、毀棄行為者は地主ではなくて土地賃借人Yである。したがつて、附合するにせよ、附合しないにせよ、Yは他人の物を毀棄したことになろう。しかしそれにしても、稲苗の植付のような時期を争うものについては、一般的自救が成立する可能性があると思われるが、この点はその緊急性等を考慮した上で、その成立を否定している。しかしさらに、XはYの占有の侵奪者とみるべきではなかろうかと思う。そうだとすれば、占有自救が成立するのではなかろうか。判決が一般的・緊急的自救の要件を一応考察した慎重な行届いた態度には敬意を表するが、今一歩、占有自救の要件の成否をも考察してほしかつたと思う。

つぎに対抗力を有しない土地所有者が、小作人の作物を毀棄したのに対し、これを毀棄罪とする大審院決定があるが、事情はやや異なる。

【70】　YはAより耕作地を買受けたが代金を支払わず、土地の占有も登記も移転されていない。Xがその

土地をAより賃借耕作中、YはBらをしてXの植付けた稲田の代播をさせたり、自ら稲を引抜いて毀棄した。昭和一一年六月一八日に毀棄罪を言渡され、刑確定後、(旧) 刑訴法四八五条六号 (現四三五条六号) によって再審の申立をした。その理由として「Yは A と売買完結の意思表示後Aが植付けた苗は附合によりYに帰したから、Yが自由に処分しうる筈だ」という。一、二審ともに棄却されたので抗告したが、さらに棄却された。

「不動産ノ売買ニ於テ代金ノ支払ナク其ノ目的物ノ引渡ナキ場合ニ於テハ他ニ特別ナル事情ノ存セザル限リ売主ニ於テ該不動産ニ付使用収益ヲ為シ得ベキコト民法五七五条ノ法意ニ照シ毫モ疑ナキトコロナルヲ以テ前示犯行当時 A ハ前示土地ニ付使用収益ヲ為シ得タルモノト云フベク (中略) Aヨリ賃借シタルXガ植付ケタル稲ハ正権限ニヨリ植付ケタルモノト云フベシ、サレバ縦令申立人Yガ前叙ノ如ク該土地ノ所有権ヲ取得シタレバトテ之ガ登記ヲ経由シ其ノ取得ヲ主張セザル限リXニ於テ賃借セル土地ニ植付ケタル右稲ノ所有権ヲ失フベキモノニ非ズ而モ申立人Yガ適法ナル手続ニ依ラズ擅に自力ヲ以テ右稲ヲ引抜キ又ハ他人ヲシテ代播ヲ為サシムルガ如キハ正当ナル権利行使ヲ以テ目スベキニ非ズ其ノ所為タル刑法二六一条 (器物損壊罪) ニ該当ス」(棄却) (大決昭一二・一二・二二新聞四二二八・一七、評論二七・刑法八)。

再審申立理由は前掲大審院判決と同じ附合理論を援用するが、基本的事情が異なり、右決定理由の結論は正しい。しかしただ新地主が代金支払もせず、占有も登記もえていない事由が不明であるが、もしそれが売主の責に帰すべき事由によるものであり、新地主が完全な所有権の移転請求権を保全するために緊急的自力救済をなしたとみとめうる事情はなかつたのであろうか。

同じく土地の買主による桑苗の折截を毀棄罪とする。

【71】 Yの土地が競売によってXに移転したが、XとYは、Y の子Aが出征から帰還したら買戻す契約をした。当時 Y が土地を占有していたのでXから執行された。その後Yが売買完結の意思表示をしたがXが応

じないので、訴訟中にXがその土地に植えていた桑苗を切除した。原審はXが所有権と占有権を得たことのみを強調して毀棄罪に問うた。Yは上告し、右の売買完結の意思表示によって買戻されたものと信じたのだから、事実の錯誤として違法性が阻却されると主張した。

「土地ノ所有者又ハ占有者ガ其ノ所有権又ハ占有権ヲ行使スルニ付権限ナキ第三者ノ妨害アリタル場合刑法第三十六条若ハ同法第三十七条ノ要件ヲ具備セザル限リ個人自ラ直接権利ノ救済ヲ実力ニ訴フル所謂自力救済ノ如キハ法ノ許容セザルコトハ本院判例ノ趣旨トスルトコロニ係リ而モ原審認定ノ事実ニ依レバ斯カル要件ノ存セザルコト明白ナルヲ以テ判示土地ガ被告人ノ所有又ハ占有ニ属スルト否トヲ問ハズ国家機関ノ保護ヲ仰ガズシテ自ラ実力ノ行使ニ出デタルハ違法ナリト云フノ外ナク従テ判示所為ヲ毀棄罪ニ問擬シタル原判決ニハ」何等違法がない（棄却）（大判昭一七・一〇・一二新聞四八〇七・一〇）。

判決の結論は正しいと思うが、ただ判旨が所有権や占有権の妨害に対して、自力救済は正当防衛と緊急避難のほかは常に違法性を帯びるかのような口ふんをもらしているのには賛しえない。本件で、文盲のXが示談や執行の免脱を誤信し、Yの現占有をXの占有の妨害だと勘違いして、緊急の必要性から、一般的自力救済をなしたとすれば、事実の錯誤たる錯覚自救として、少なくも刑法上は違法性を阻却しうると考えられる（上告理由もこれを強調）。それを一概にしりぞけてしまったのは妥当でない。

同じく地主による桑樹畑の自力奪回を違法とする下級審判決もある。

【72】　原告Xは期間を定めてAから土地を賃借して桑樹を栽培していたところ、Aは約旨に反し、その期間内に土地をYに売却し（昭和一一・一二・五）Yは昭和一二年六月一〇日頃まで明渡を猶予しておきながら、同年一月一八日突然書面をもって七日以内に桑樹を撤去されたき旨を申込んだので、Xは不可能の旨を回答したところ、Yは同月二六日自力で撤去した。Xは損害賠償を請求したのに対し、YはXが収去すべき

義務を履行しないから自ら収去したと抗弁した。

「土地賃借人が賃借地上に桑樹を栽培育成したところ当該土地の譲受人が右賃借人に対し、当該桑樹を掘取るべき旨催告したるも賃借人がこれに応ぜざる場合、右譲受人に於て土地賃借人の承諾を得ずして自ら之を掘るべき権利なきこと勿論なるが故に、其の之を為したるときは、故意又は過失により土地賃借人の権利を侵害せるものと謂うべく、右の場合土地賃借人の桑樹掘取義務不履行の事実をもつて、当該権利侵害若くは損害発生に付て被害者の過失として其の損害賠償の額を定むるにつき斟酌すべきものとなすは格別、右譲受人の責任を阻却すべき事由となしがたきものとす」（要旨）（八日市場区判昭一二・一二・一五評論二七民法七九〇）。

明渡猶予期間内の自力除去であるから違法というほかはない。たとい期間後であつても、桑樹の所有権はなおXにあるのだから、緊急の必要性のないかぎり自力で除去するのは違法性を免れない。

つぎには、農地の明渡を強制するため、暴力をもつて小作人を追出した行為を業務妨害罪だとする判決がある。

【73】　被告人Yは数十名の者と共にXの耕作田に押寄せ、旧小作人Aに耕作権があり、Xの耕作権なしとして、耕作を中止せよと迫り、暴力をもつてX及び使用人を追い出し農業を妨害した。

「刑法二三四条ニ所謂業務トハ人ノ反覆執行スル事業ヲ汎称スルモノニシテ該業務ガ法令若クハ慣習ニ反セザル限リ何人モ之ヲ経営スルノ自由ヲ有シ偶々特定ノ場合ニ於テ他人ノ権利ヲ侵害スル結果ヲ惹起シタリトスルモ其ノ被害者ニ於テ右ノ結果ヲ除去スルニハ法ノ威力ニ訴ヘ之ガ救済ヲ求ムベキモノニシテ侵害排除ノ為メ自ラ暴力ヲ用ユルヲ許サザルモノトス殊ニ第三者ニ於テ之ニ干渉シ威力ヲ振ヒ右業務ノ自由ヲ干犯スルガ如キハ業務執行者ノ権利ノ有無ヲ問ハズ前示法条ノ業務妨害罪ヲ構成スルヤ論ヲ俟タザルトコロナリ（中略）Xガ小作権ヲ有セザルモノトスルモ前示ノ法理ニ照シAニ於テ自力救済ヲ許サレザルハ勿論何等利害ノ関係ヲ有セザルY等ハ之ニ加担シテXノ業務ヲ排除シ得ベキニ非ザルガ故ニ右小作権ノ有無ニ拘ラズYニ

於テ農業妨害罪ノ罪責ヲ免レズ」（朝鮮高判大一三・三・一〇評論一三刑法二四五）。

原告が小作権すなわち耕作権を有しないで不法に耕作していたとしても、この者を排除するに自力を行使することは常に業務妨害となるとの趣旨であるが、この点は家屋明渡についての昭和一二・一・一六の大判【52】とは趣旨を異にする。ただ【52】は民事事件で、損害の有無が争われておるのであり、本件は刑事事件で行為者の反社会性ないし公の秩序が特に問題となつているのでかかる結果の相異を来したといえよう。同じく業務妨害罪をみとめた大正九・二・二六の大判【50】は、家屋明渡の訴訟中すなわち借家権の一応存続中の事件であるから、本件とは内容を異にすることを注意しなければならない。私は本件判決が、Xの耕作するに至つた事情やYらの緊急の必要性の有無などについて特別に判断することとなしに「Xの小作権の有無を問わず」として、真向からYの実力行使を否認した態度には物足りないものを感ずる。けだし自力救済をその故に否認しようとする当時の判例の傾向に従つたものであろう。

同じく農地の小作権のない者から土地を取戻すため豆苗を毀棄した行為を業務妨害罪とする判決がある。

【74】　被告人YはXが耕作権がないのに耕作しているとして、Xの耕作していた土地の畦を長さ十八間位も鍬で切崩し同畦に植えてあつた豆苗約八十本を抜きすてて毀棄し、その場で鍬を揮つて同人を威喝し同人の田植を不能ならしめ業務を妨害した。業務妨害罪にとわれる。

「仮りに本件土地がYに属し、農家であるXがこれを耕作する権限がないのに同人がこれを耕作していたとしても同人において任意にこれを返還しないときは法律上の手続によりその返還をうけてから耕作すべきである。これは法律秩序維持のうえから当然のことである（大正九年二月二六日大審院判決参照）」（東京高判昭二四・一〇・一五刑集二・一一・一七一二）。

つぎに小作人からの自力救済であるが、対抗要件を備えていない賃借小作権者が新地主の植え付けた苗を引抜いた行為を毀棄罪とする。

【75】「(小作人は賃借権の登記なき以上、田地の買受人たる新所有者に対抗しえない。新所有者が自ら耕作するため挿苗した場合に、小作人が新地主に対し) 自己ニ小作ノ権利アリト主張シ暴力ヲ以テ同人ノ挿苗ヲ引抜キ投棄スルカ如キハ自己ノ権利ノ行使ニ非スシテ名ヲ権利行使ニ藉リ他人所有ノ物ヲ害シタルモノト謂フノ外ナク其ノ行為タルヤ正当防衛ニ非スシテ刑法第二百六十一条ノ毀棄罪ヲ構成スルコト言ヲ俟タサルモノトス」（棄却）（大判昭三・五・八評論一七諸法三二六）。

今日では農地法一八条によって小作人は容易に対抗力をみとめられるから、右のような場合は滅多に起らないが、理論として、対抗力のない小作人の自力救済ないし正当防衛の成立を否認した判示は正しい。

同じく小作人が耕作権ありとして、地主の植付けた稲苗を毀損する行為を違法とする最高裁判決がある。

【76】事実関係ははっきりしないが、小作人Yが地主Xの植付けた稲苗を引きぬいたので、地主Xが慰藉料を請求した事件において、

「上告人Y等が被上告人Xにおいて植付けた稲苗を抜取ったのは、耕作権があるから差支えないと思うたので法律上許されると信じたとしても、苟も他人の植付けた稲苗であることを認識しながらこれを抜きとつ

た以上は、毀棄罪に該当するものといわなければならない。従つて原判決には所論のような違法はない」（棄却）（最判昭二五・五・二六民集四・一九三）。

民事判決でありながら毀棄罪になると判断しているのはいささか奇異であるが、前述の【75】と同趣旨の判決といえよう。そして地主は物的損害ではなく慰藉料を請求している点も特色がある。本件は、附合理論によつて結論的に自力救済を認容した前記【67】【68】の事件とは異り、稲苗の所有権も地主に属する場合であるから、単に耕作権があるとの理由のみでは小作人の自力救済が正当化されるものではない。しかし、ただYが植付の時期を失するなどの緊急の事情があれば小作人の自力救済となる可能性があるが、そうでないかぎり判示は正当である。ただ自救行為の成否について当事者も主張せず判決も判断していないのは残念である。

同じくまた、小作人と自称する者による自力除去事件がある。

【77】「土地所有権がAよりXに移つたが、被告人Yはその耕作権を有していたと主張するも、それは確認しえない。（たといYが前年度において現実に耕作していたとしても）昭和三二年度において、前示Xが該土地の新所有者として、公然と耕作を始め、原判示の各作物が植付けられ、相当程度に成長している以上、同人において任意にこれを除去しない限り、法律上の手続によつてこれが救済を求むべきであつて、かかる場合に被告人が原判示のような行為（註、新所有者の植付けた耕作物を取除く行為）に出ることは、法律秩序維持の上から法の許さないところである」（東京高判昭三三・二・二一東京高時報九・二・二八、判例体系三〇Ⅱ、八六二の一〇五）。

正当な耕作権の存在が確認されない以上は当然のことである。しかしもし仮りに正当な耕作権があつたとして、刑事判決はどういうことになつたであろうか。また「相当程度に成長して」いない時期であれば耕作権者は自力で除去しうる趣旨であろうか。

つぎに入会権の侵害につき正当防衛を否定する判決がある。

【78】「(入会権の附着する山林にその所有者が縄張と入山禁止の立札をしたが、それは) 入会行為ヲ禁止スルノ意思ヲ表示スルノ手段タルニ止リ (区民はそれを無視して自由に立入りすればよいから) 入会行為ノ禁止ハ或ハ入会権ノ侵害ト為ル場合アランモ縄張及立札自体ハ毫モ区民ノ入会権ヲ侵害スルモノニ非ザルハ勿論 被告ガ主観的ニ之ヲ区民ノ入会権ニ対スル急迫不正の侵害ナリト思料スベキ事情毫モ存スルコトナシ 故ニ被告ガ右縄張及立札ヲ撤去シタル行為ヲ以テ 正当防衛若クハ 正当防衛ト信ジタル行為ナリトスル論旨ハ之ヲ採用スルコトヲ得ズ 而シテ土地ノ所有者ハ他人ノ権利ヲ侵害セザル範囲内ニ於テ 自由ニ其ノ所有地ノ周囲ニ縄張及立札ヲ為ス権利ヲ有スルモノニシテ 其ノ土地ニ付 入会権ヲ有スル者ト雖モ擅ニ之ヲ撤去シ得ベキニ非ズ」(破棄自判) (大判昭二・九・八評論一六刑法三〇五)。

判決は正当防衛を問題とするが、妨害排除請求権の自力実現として自力救済とみるべきであろう。判決は縄張があつても入会権者は入りうるというが、入会拒否の立札と縄張りは入会の妨害であり、入会権者は撤去請求権を有する。したがって緊急性と必要性の限度においては自力排除をなしうるといわねばならない。それにしても自力で撤去した程度が不明であるが、恐らく結論的には判決が正しいことになるであろう。

二　宅地返還請求のための自力救済

【79】 AはYの所有地上に有する自己の家屋をXに譲渡したが、YはXに土地の賃貸を認めない。同時にYは宅地の安全のため、右家屋の周囲に玄関ロ約一間を除き、高さ四尺の箇所に鉄線二本を張りめぐらした。

Yの受任者からXに立退を要求し、立退料の支払を約束したのに一部を支払わないのでXはその立退料を請求して訴を起し、同時に鉄線をめぐらしたことの不法行為をも追及した。YはXが不法占有した間の地代と相殺を主張し判決はそれをみとめた。

「…鉄線ヲ張リ回ラシタガ家屋使用ニ何等支障ナカリシ事実ヲ認メウベク、斯クノ如キハ土地使用権ノ正当ナル行使ニ基クモノト謂フヲ得ベキヲ以テYノ右所為ヲ目シテ右Xニ対シ家屋ノ使用収益ヲ妨害シタルモノト認メ難シ。従テ其余ノ判断ヲ用ユル迄モナク原告ノ損害賠償請求ハ其理由ナキモノト謂ハザルベカラズ」（東京区判昭七・六・八評論二一民法一〇六八）。

地主の承諾がないかぎり、譲受人は建物買取請求権を行使するほかは（借地一〇）解約されれば立退かざるをえない（民六一二II）。右のYの行為は立退強要のいやがらせであるが、YがXに解約したとしても、それはXがなお有する占有権に対する侵害だといえる。しかし家屋使用に実質的に妨害を与えていない以上は支障がないと判示する。

つぎに妨害物たる土蔵の自力除去について、これを違法とする判決がある。

【80】　Yは土地をAに売却する際、「契約解除のときは、Aが該地上に建てた家屋はAが取毀つか、YがAの計算で取毀つか、Yに選択権がある」旨の特約をした。この売買契約解除後にAが土蔵を建て、それをXに売却した。YがXに除去を要求したが応じないのでYが自力で土蔵を除去した。原審はYを毀棄罪に問い、Xの附帯私訴に対し、不動産としての全損害賠償を命じた。Yは上告。

「（YA間の）契約ハAヲ拘束スベキモ契約当事者ニアラザルXヲ拘束スベキニアラズ（中略）モシ本件土蔵ニシテ依然トシテAノ所有ニ属スルモノトセンカYガ公正証書ニ従ヒ之ヲ取毀チタリトノ抗弁ハ極メテ適切ナレドモ土蔵ノ所有権ガ（中略）Xニ移転シタルモノトセバAトノ間ノ契約ニ基キ契約ノ当事者ニ非ザルX所

有ノ土蔵ヲ取毀ツコトハ法律上ナシウベカラズ（またYは民法一七七条の第三者にも該当せず。しかしYは裁判所に救済を求め、その判決をえた上、Aが無権限に建てた土蔵の譲受人たるXに対し、強制執行によつて土地明渡を強制することはできる。しかし）Yガ其所為ヲ以テ私擅ニ土蔵ヲ取毀チ土地ノ明渡ヲ強制スルハ法ノ禁ズル所ニシテ土蔵ノ所有者タルXノ所有権ヲ侵害シタルモノト謂ハザルヲ得ズ何トナレバ凡ソ何人ト雖モ法律ニ定ムル方法ニ依ルニアラザレバ自己ノ行為不行為ヲ強制セラルルコトナカルベク私人相互間ニ於テ私力ヲ以テ互ニ行為不行為ヲ強制スルハ法律ノ許サザル所ナルヲ以テ権利ノ侵害ニ対スル救済ヲ求ムルニハ常ニ必ラズ法律ニ認許スル救済方法ニ拠ルコトヲ要シ法律ニ認許スル方法ニ依ラズシテ私力ヲ以テ擅マニ他人ノ行為不行為ヲ強制スルハ縦シヤ実体上ニ於テ其行為不行為ヲ要求スルノ権利ヲ有スルニモセヨ他人ノ権利ヲ侵害スル不法ノ行為タルヲ免カレザルヲ以テナリ」（故にYの行為を不法行為とした原判決は正しいが、損害賠償額は、ただ材料の価額のみで足り、土蔵の建物としての全価額の賠償を命ずる原判決はこの点で破棄を免れない）（破棄差戻）（大判明三六・五・一五刑録九・七六〇）。

YA間の自力収去の特約が契約当事者でないXを拘束すべきでないことは判示の通りであつて、Yがその拘束力を主張するのは妥当でない。しかしYは不法占拠者たるXに対し、土地の返還請求権ないし妨害排除の請求権を有し、その請求権の実現につき、判決は、「強制執行ヲ為スコトヲ得」るが、「私力ヲ用ヒテ擅ニ他人ノ行為不行為ヲ強制シ」えず、「常ニ法律ノ認許スル方法ニ依ルベ」きだとするが、これは結局、訴訟手続のほかは許されないことをいうのであろうか。緊急自救も占有自救も全くみとめえないかのようであるのは妥当でない。なお右の判決がYA間の自力収去の特約、いいかえれば自力救済特約の当事者間における有効性をみとめていることは注意すべきことである。

前述したようにドイツで自力差押特約は無効とされ、ただ単なる請求権としてのみ有効だとの説があるのにすぎないのと対照される（明石・自力救済の研究一三三頁参照）。

つぎに借地上の建物の損壊について、自力救済をみとめないとする下級審判決がある。

【81】 被告人YがAから賃借中の土地上にXが権原なしに家屋を建築したので、Yは自費をもつて他へ移転させたところ、建造物損壊罪に問われた。

「仮りに所論の如く本件建物所有者がその敷地の不法占拠者であつたとしても、これが収去明渡を求めるには他の方法があり、自力救済は許されないところであり、それが他に移築の目的に出たものであつても、他人所有の建物の所有者の承諾もなしに勝手に取毀てば建造物損壊の罪に該るは勿論である」（名古屋高判昭二九・九・二特一・六・二〇）。

右の判決で事実関係が不明であるが、事情によつては、たとえば【13】と同じくXが建物を建てて移り住むことにより、収去させることがむつかしくなるような緊急事情があるとすれば、一般自救の成立も考えられよう。

また隣家の庇の自力切除に関して、これを違法とした最高裁判決が出た。

【82】 被告人Yは自己の借地内にある自己の家屋を増築するに当り、その借地内に突出しているX所有の隣家の軒先を間口八尺、奥行一尺にわたつて無断で切除した。Yは自救行為だと主張したが、控訴審判決は、

「かかる行為が他人の財産権を侵害するものであつて公序良俗に反することは言を待たないところである。被告人Yの切断した本件Xの玄関がYの借地内に突出していたことは本件記録により認め得られるが、仮にこれが所論のようにXの無許可の不法建築であつても、その侵害を排除するため法の救済によらずして自ら実力を用いることは法秩序を破壊し社会の平和を乱し、その弊害たるや甚しく現在の国家形態においては到底認容せらるべき権利保護の方法ではない。正当防衛又は緊急避難の要件を具備する場合は格別、漫りに明

文のない自救行為の如きは許さるべきでない。そして本件記録及び原裁判所で取調べた証拠によると、Yは増築を設計する当初からX所有の建物の玄関庇が突出していることが判つているにかかわらずYの意のままに設計増築し原判示行為に出たるものでその被告人の所為が正当防衛又は緊急避難の要件を具備していないことが明らかである。その増築は倒産の危機を突破するためやむなくしたものであり、Xの損害は僅少でYの受ける利益が多大であるというが如きは未だ法の保護を求めるいとまがなく且即時にこれをなすに非ざれば請求権の実現を不可能若しくは著しく困難にするおそれがある場合に該当するとは認めることはできない。それゆえ、法律上の手続によらず自らの実力行使に出たる被告人の行為は違法という外なく従つて被告人の原判示所為を刑法第二百六十条の建造物損壊罪に問擬した原判決には所論のような理由不備等の違法は存在しない。」（札幌高函館支判昭二八・一一・一〇）とした。Yは、さらに上告して、「(1)本件庇の一部切除によるXの効用減殺の程度と切除せぬため生ずるYの損害とは比較にならぬ程後者が大である。(2)遷延すれば雪解けまで待たねばならない事情にあること、などの理由により、Yの本件切除行為は、Yがその権利を防衛し、自己の破滅を救うためやむなくなした自救行為であつて違法性を阻却する」と主張した。

〔判決〕「上告趣旨は単なる法令違反の主張であつて、刑訴法第四〇五条の上告理由にあたらない」（所論自救行為に関する原判決の判断は正当である）（棄却）（最判昭三〇・一一・一一刑集九・一二・二四三八）。

これは最高裁判決だという意味で珍らしいのみならず、自力救済のみとめられるべき要件を傍論的に示した点において重要である。すなわち右の判決は逆に「法の保護を求めるいとまがなく且つ即時にこれを為すに非ざれば請求権の実現を不可能若しくは著しく困難にする虞がある場合に該当」すれば「明文のない自救行為」も許される趣旨だと解される（同旨、戸田・法曹時報八・一〇七、高橋・法学雑誌三・四・七七参照）。従来大審院が特に刑事事件において、一般に自力救済を否認する傾向が強かつたことは、前掲諸判例に現われているところであるが、戦後は最高裁判所として些か緩和する傾向にあることを感ぜしめる。既に昭和二四年五月一八日の判決【105】が自救行為の定義とその要件とをかかげ、ここにもまたこのような判決が出たことは、それを裏付けるものであろう。右の本判決が仮定的立論をとっているから、最高裁はやはり自救行為はみとめない真意だとの説もあるが（井上祐司「自救行為」ジュリスト続判例百選一二九）、私はそう思わない。本事案それ自体が自救行為の要件を充たさないにすぎないと考える。このような判例の傾向はわが国の学説で戦後特に自救行為をとりあげるものが多く、且つ認容する傾向になったことの刺戟によるものかとも考えられる。しかしただ自救行為として被告を無答責とした判決を未だ発見しえないのは物足りない。しかしまた自救行為はそんなに屢々おこなわれるべきでも、軽々しく許さるべきものでもない。被告の行為が違法な実力行為で、正当な自救行為に該当しない場合が実は多い。本件について、これを正当な自力救済とするのは無理だと思う。隣地からの侵界樹根は自力切除できるが、樹枝は切除請求権があるにすぎない（民二三三）、況して建物について一部を自力切除するには、切除（妨害排除）請求権が無意味に帰するほどの緊急の必要性が要求されると解する。占有自救にも当らないようである。そしてYが一回も警告を発せず突然に切除したようであるのは、信義誠実ないし公序良俗の点からも問題である。その緊急性と利益の衡量の見地から、自救行為を妥当とする論者もあるが（高橋・前掲）、それがためにはもう少し詳細に両者殊にYの事情が判明しないかぎり無理があろう。しかし英法では、かかる場合に、生活妨害の自力除去（abatement of nuisance）として自救権がみとめられる（ただ予め警告を必要とするか否かについては学説上争われる。明石・自力救済の研究一九五頁参照）。

家屋収去土地明渡請求権にもとづく家屋の損壊が正当防衛に当らぬとする大阪高裁判決がある。

【83】 Y_1は借地人Xに対し建物収去土地明渡請求（収去費用はX負担）の訴で勝訴し、それが確定した後、Xはその家屋をAに賃貸した。AはXの承諾をえて、Y_1の制止にかかわらず右家屋の改造工事を実施していた。工事が進行すると代替執行の費用がかさむと考えたのでY_1とその子Y_2とがAの家に赴いて、斧で下地板や壁を僅かながら三ヵ所計約二・二二平方尺ほど破壊した。Y_1Y_2は正当防衛だと主張するが、「（前略）Aの右土地占拠及び右工事遂行は不法違法というべく、刑法第三六条の不正の侵害に当るということができる。しかし……右工事は、前記のとおりあらかじめ通知された上数日前から行われていたもので被告人Y_2はこれを知っており、しかも本件損壊当時現に行われていなかつたのであるから、右工事をもつて急迫の侵害とすることはできない」として建造物損壊罪に処せられた（大阪高判昭三五・三・三〇判時二二九・七六）。

これは被告も裁判所も正当防衛論で終始しているが、むしろ土地明渡請求権——判決が確定している——の実現が困難となることを憂えての自力救済だと考えられないであろうか。ただ執行が間に合わない程の緊急の必要性があつたか否か不明であるが、それにしても、代替執行直前の無価値に等しい家屋の壁を僅か二・二二平方尺ほど損壊したことが、懲役六カ月にも相当する程の違法性を有するかについて疑問を有する。

つぎに建物の自力除去特約にもとづいてなした地主の自力除去を適法とする高裁判決がある。

【84】 X（原告・控訴人）はYから借地して車庫を建てたが、その借地契約において、「将来Yが必要なときは、七日以内に車庫を撤去し、もしX自ら撤去しないときは、車庫の所有権は当然にYに帰し、Yがいかに処置しても異議なき」旨の特約がなされた。五年二ヶ月余の後、Yから解約し撤去を求めたが応じないので、七日後Yが自力で撤去した。Xは占有権侵害の賠償を請求し、予備的に営業上の無形的損害賠償を請求した。一審で棄却されたが、二審でも、

「右の特約はＹの本件車庫撤去の申入による敷地使用貸借の終了とその場合における車庫撤去の目的を達する方法を予め置いたものであって、Ｘが自ら車庫を撤去しないときは、単にその所有権が被控訴人に移転することだけを約したのではなく、控訴人が車庫を占有中であると、これを営業用に使用していると否とを問わず、Ｙ側において自由にこれを撤去することを承諾し（勿論車庫内に存するＸ所有の物件はＹが適宜に取まとめてＸに引渡すべき筋合であるが）Ｘの車庫占有若くは利用に伴う利益の如きは一切これを放棄し、取毀に対し何等の異議を申出でないとの趣旨を明かにしたものと解すべく、（中略）昭和三二年二月一七日Ｙが車庫の撤去を申入れた後、所定の期間を経過した同年三月二日当時において、前記特約に基き本件車庫はＹの所有に帰属し、且つＹが改めてＸの承諾を受けずとも任意にこれを撤去し得た訳であるから、その手段において格別違法に亘らない限り、車庫の撤去自体は適法であり、仮令Ｘがこれを占有していても何等不法行為を構成しない」（東京高判昭三五・二・一〇下級民集一一・二九九）。

建物の取毀に関する自力救済の特約を有効としてそのままみとめた興味ある判決である。さきに大審院は同じくこれの有効性を傍論ながらみとめた【80】。ドイツの通説と異なるところでもあり、些か疑念をもつ。むしろ被害者の承諾として、現実に収去の際に被害者の承諾を必要とするものと解すべきでないだろうか。ただ本件では、建物の所有権も自力収去者に帰しているから、この判決の結果を妥当とすべきだろう。もっとも本件は一時使用の借地として借地法の適用がないか（借地九）。もし適用があるとすれば、建物買取請求権（借地四Ⅱ）否認の特約は借地法一一条違反でないかとの疑問がある。

つぎに賃借人同志の妨害について、これを器物損壊罪だとする最高裁決定がある。

【85】「土地の持分に対し登記を経て賃借権の設定を受けた者が、右土地に対しすでに賃借権の設定を受けていた地方公共団体がこれを、その設置かつ管理にかかる高等学校の校庭として使用していた場合に、こ

の事実をもつて自己の賃借権を侵害するものであるとして、実力を以て該校庭内に「アパート建築現場」と墨書した立札を掲げ幅六間長さ二〇間の範囲で二箇所にわたり地中に杭を打込む板付けをして、もつて保健体育の授業その他生徒の課外活動に支障を生ぜしめたときは、該物件の効用を害するから器物損壊罪を構成するものと解するを相当とする」（棄却）（最決昭三五・一二・二七民集一四・一四・二二二九）。

賃借権についていずれも登記を経ている様子はないから、互いに対抗しえないものであるが、後から賃借権の設定をうけた者が、先に占有している賃借人を妨害するのは違法であろう。

つぎに賃借人が使用借人の小屋を自力除去したのを違法でないとする下級審判決がある。

【86】　地主Aより使用借した土地にXが極めて粗末な物置（約一坪七合、約二寸五分角の柱三、四本、周囲はボロボロの渋板張り）を建てていた。Aは X に除去を要求したが異議はなかつた。その土地をAより賃借したYもAに代つて除去の申入をした。YからXに数回も除去を要求したのに、態度が曖昧で実行しなかつたが、別段拒否する態度はなかつたので、Yが自力で除去した。Yは建造物損壊罪で起訴された。

「要するに被告人としては叙上の経過から考えて、Xが本件物置の取毀を拒否し、右土地の占有を続ける意思があろうとは全く想像もしなかつたのである。権利関係は明瞭であり、且つ物置が余りにも粗末であつたところから、事柄を極めて単純に考えた被告人は、地主代理人布川が明渡方を催告した際、右Xは何ら拒絶の様子も見せなかつたし、その後の被告人自身の申入れに対しても物置取毀土地明渡自体には何等異議はない模様であり、ただ自ら手間をかけて取毀すのを面倒くさがつているとしか思えなかつたこと。従つて、被告人が遂に待ちきれなくなつて被告人自らの手間で取毀すのならば文句はない筈だと考えたこと。そしてその申入に対して、Xは敢て拒否することもなく黙つていた。被告人がXのこの態度をもつて承諾があつたものと誤信したことに無理のないところである。本件は、被告人が被害者の承諾がなかつたのにあつたと誤信してなしたものであつて、右誤信は違法性の事実に関する錯誤と云うべきである。かかる事実の錯誤は被告人の本件犯意を阻却するものであるから、犯罪の成立要件を欠く」(浦和地判昭三六・六・三〇下級刑集三・六〇一)。

ところが最近、自力による建物損壊に対し慰藉料まで請求をみとめた事件がある。

【87】　Aの所有地上の建物の所有者Y（Aの土地賃借人）は一旦建物をXに売却したが、XはAからの借地を予期してその地上にバラックを建てた後にYが右売買契約を解除し、土地の賃借権にもとづきバラックの除去を要求して紛争中にYは自力で取こわした。Xは財産的ならびに精神的損害の賠償を請求した。

「YはXとの間で本件建物敷地の賃借権の帰属についての紛争中において、その解決のため法的手段に訴えることなく、自力救済に出でたる点でその加害方法は相当の非難に価するものと認められるからこれによつてXに相当の憤懣を感ぜしめたことは想像に難くない。したがつて本件において、Xは前記建物滅損による財産的損害の賠償によつて慰藉されない程度の精神苦痛を蒙つたものとみるべきである」(大阪高判昭三八・一・三〇判例時報三三〇・一一四三八)。

八　水利、交通、生活の妨害と自力救済

水利権の侵害に対する自力救済について、結果的に認容したつぎのような民事判決がある。

【88】　上告人XはYの用水権がある水路に、自ら田用水分水権があると称して堰を設けた。Yは自力をもつてそれを除去したのでXがその除去された堰の復旧を求めたが、原審がそれを認めないので上告した。上告理由は、自力救済はわが国法上は民法七二〇条、刑法三六条以外はみとめられない。正当でないYの自力救済に対して、相手方が復旧を求めるのは当然であつて、これをみとめない原審は不当であるとした。

「然レドモ権利者ガ其権利防衛ノ為メニ他人ガ不法ニ設置シタル工作物ヲ除去スルニ当リ法律ノ許サザル手段ヲ用ヒタルトキハ其他人ハ右権利者ニ対シ之レニ因リテ生ジタル損害賠償ノ責ヲ問フコトヲ得ベシト雖モ除去セラレタル工作物ノ復旧ヲ請求スルコトヲ得ザルモノトス蓋シ斯ル場合ニ於ケル工作物ノ復旧ハ右権

利者ノ権利侵害ト為ルヲ以テナリ」（棄却）（大判大七・一二・一六民録二四・二三二〇）。

本件は自力救済の結果を事実上認容して復旧をみとめないのであるが、だからといって、自力救済自体を適法としたのではなく、むしろ不法行為として賠償責任を生ずる旨を判示している。流水利用権は単独または共同の物権的権利とみられるものであるが、これの侵奪ないし妨害に対しては、その直後であれば、占有（本質は準占有）の自力救済として直ちに堰を排除しうるし、そうでなくとも、田植えの前後などで緊急を要する場合であれば、一般的自救として排除しうべき性質のものであろう。判示のように「他人が不法ニ設置シタル工作物ヲ除去スルニ当リ法律ノ許サザル手段ヲ用ヒタル」は不法だとしてしまうのは妥当ではあるまい。ただ原告の回復請求に対してこれを拒否した本判決は正当である。占有の自力救済についてのべたように、自力救済の適否と結果の認否とは別の観点から考察される必要があろう（一六頁参照）。

【89】　鬼怒川沿岸の農民の間には、古来水害防止のため、二百二十日前後には堰堤を破壊する慣習があり、水利組合も多年この慣習をみとめている。ところが、一水利組合の申請によって県が従来の一時的堰堤をコンクリートの永久的設備に改造した。西下山橋部落民十数名がそれを玄能で破壊した。原審は、被告人等に該堰堤の撤去請求権があり且つ危害を与える設備だとしても、犯行当時、現に急迫の危害でなく将来水害のおそれがあるという理由で、訴訟によらず自力を行使するのは公序良俗に反し、自救行為として容認し難いといい暴力行為等処罰に関する法律違反として被告人に各罰金十円を科した。これに対し被告人等は上告し、洪水は何時来るかわからないところに恐ろしさがある。堰堤の撤去を怠り、悔を千載に残してはならない。このような救済のため、学説判例が自救権をみとめているのである。原審が「絶対に自救権をみとめえず」

としたのは不当であると主張した。

「権利ノ行使ハ法律ノ認ムルトコロニ従ッテ之ヲ為スベク之ニ依ラザル行為ハ権利行使ト謂フヲ得ザルハ勿論其ノ行為ニシテ罰条ニ触ルルモノハ其ノ罪責ニ任ゼザルベカラズ原判決判示事実ニ依レバ被告人等ハ……ヲ損壊シタルモノトスサレバ前掲コンクリート製堰堤ノ築造ガ所論慣行並約旨ニ違反スルモノナリトスルモ従来二百二十日ヲ期シテ取払ヒ来リタル蛇籠堰ノ場合ト異ナルコト勿論ナルカ故ニ該違反ヲ問ヒ其ノ撤去ヲ求ムルニハ他ニ方法アリ民法第七百二十条第二項刑法第三十七条所定ノ如キ場合ヲ除キ擅ニ之ヲ損壊スルガ如キハ法ノ許容セザルトコロナレバ被告人等ノ行為ハ権利行為ト謂フヲ得ザルハ勿論原判決擬律ノ罰条ニ触ルルモノトス」（棄却）（大判昭一〇・七・二五刑集一四・八二九）。

本来、水利権は慣行上のものであるが、官公庁もこれを尊重してやるべきである。被告部落民には、妨害（積極的または消極的水利権の妨害）排除請求権ないしは妨害予防（将来の妨害の予防）の請求権があるわけであるが、これの保全のための自力救済とみることができよう。或いはこれを正当防衛とみる説（荘子「正当防衛」総合判例研究叢書刑法（1）一四一頁）、緊急避難とみる説（井上祐司「自救行為」ジュリスト続判例百選一二八頁）もある。洪水のみを中心に考えるならば、正当防衛または緊急避難の成立が可能であるが、基本的に水利権の侵害とみるならば、自力救済と考えるのが妥当であろう。それにしても仮処分も間に合わない程の緊急性があったかは疑問である。本件の事案で、そのような緊急性のある客観的事態は立証されておらず、緊急的自力救済の成立は困難と思われるから、結論的には判決が正しいであろう。しかし判決が右の場合に、緊急避難によるほかは、自力救済はすべて違法であるかのような言い方をしているのは妥当ではない。その事情によっては自力救済の成立が可能と考える。

つぎに水利権侵害に対して正当防衛をみとめた判決がある。

【90】 上流のX_1X_2両部落は水量不足の場合には、灌漑用水として大束川上流より足踏水車一台ずつによる揚水補給しうる慣行が古来あつた。ところが昭和九年の大旱魃の際に五馬力発動機各一台による揚水をおこなつたため、下流Y部落は用水が欠乏した。Yは香川県庁にX_1X_2の行為差止め歎願をしたが、善処してもらえず無為に時を過した。時恰も稲穂は孕期であり、早急に差止めなければY部落の稲は枯死に頻したので、Y部落村長は一二〇名余の部落民と共にX_1X_2の設置した送水管四〇間余をとりはずした。原審はこれを水利妨害罪をもつて断じたが、大審院は正当防衛だとする。

「按ズルニ所論X_1X_2両部落ニ於テ一定ノ用水路ヨリ従来ノ慣行ニ反シ濫リニ多量揚送水シテ其水田ヲ灌漑セハ上流ニ位スル田地ノ灌漑用水ハ減少シ従テ其水利権者ハ自己ノ権利ヲ侵害セラレ特ニ旱魃ニ際シテハ其ノ稲ノ育成ヲ阻害セラルヘキハ言ヲ俟タサルトコロニシテ斯ノ如キ場合水利権者カ右ノ如キ損害ヲ免レンカ為X_1X_2両部落ノ揚送水ヲ阻止スルハ正ニ急迫不正ノ侵害ニ対シ其ノ権利ヲ防衛スル為メ已ムコトヲ得サルモノト謂フヘク刑法第三十六条一項ニ依リ処罰スヘカラサル行為ナリト為スヘキナリ……原判決ハX_1X_2両部落ニ於テハ大正十三年以来孰レモ足踏水車ニ替ヘ五馬力発動機ヲ据付ケ爾来水量不足ノ場合使用揚水シ居タル事実ヲ判示スルモ両部落カ斯ル内容ノ水利権ヲモ取得シタリト為スニ非サルコト判文上明白ナルノミナラス其ノ確定スルトコロハ前記ノ如ク両部落共足踏水車一台ヲ以テ揚水シ得ベキ水量ヲ利用スルノ権利ナリ而モ五馬力発動機ノ揚水機能ハ足踏水車ニ優リ多クノ水量ヲ揚送水スルコト顕著ナル事実ニ属シ原判決掲記ノ証拠ニ於テハ前者ハ後者ノ約三倍ナルコトヲ示セリ果シテ然ラバX_1X_2両部落ノ為セル五馬力発動機ニ依ル揚水ハ慣行ニ反シ多量ニシテ下流水利権者ノ権利ヲ侵害スルモノナリト謂ハザルベカラズ従テ冒頭説明ノ理由ニ依リ原判決ノ確定シタル上掲被告人ノ行為ハ所謂正当防衛トシテ之ヲ処罰スベキモノニアラズ……従テ被告人ニ対シ有罪ヲ言渡シタル原判決ハ破毀ヲ免レザルモノトス」（破棄自判）（大判昭一〇・九・一一刑集一四・九一六）。

X_1X_2両部落の行為は、Yの有する慣習法上の物権たる水利権に対する侵害・妨害行為といわねばならない。判決は侵害の継続があるから正当防衛として論ずるようであり、刑法学説にもこれに賛するものもあり、またこれを緊急避難をもつて正当化する説もあるようである（荘子「正当防衛」総合判例研究叢書刑法（1）一六〇頁参照）。しかし妨害物を設置して現に妨害がおこなわれている以上は、これに対してYは妨害排除の請求権を有するから、その請求権の保全のために（後からでは請求権の実現が無意味となるから）自力を行使するものとして、Yの行為は自力救済だともいえる。このような場合は自力救済と正当防衛との要件が重なつているといえよう。

自己が水利権をもつ水路上の他人の耕作物を自力排除したのを違法とする判決がある。

【91】　被告人Yは自己が利用していた水路の上でXが耕作しているとして、数回の交渉の後、Xの植付けた稲苗を引抜いて損壊した。しかしYの水利権原は確認されないのみならず、Yはその水路を十数年も利用したことがなく、Xは昭和二五年から同三一年四月までYから何等の申入れもなく耕作していた。原審はYを無罪としたが、高裁はこれを破棄した。

「仮りにYにその主張にかかる水利権があるとしても、直ちに以てYの本件所為の違法性が阻却せられると即断することは許されない。けだし濫りに自力救済を許容するときは社会の秩序は破壊され、国民生活の安全を脅かす結果を招来するに至るから、仮令不法な侵害を受けた場合でも、それを排除するには国家機関の保護救済を求めるべきものであつて、自力による救済が許されるのは、法が特に許容した場合、もしくはこれに準ずる場合にのみ限られるものと解するのを相当とする（最高裁昭和二七年三月四日判決刑集六巻三号三四五頁参照）。

よつてYの本件所為が果して法の自力救済を許容した場合に該当するかどうかについて考えてみると、（中略）Yには国家機関の保護を求めるについて十分な時間的余裕が存した（にもかかわらず、漫然長年月を徒過したばかりでなく）数回の交渉によつて、自分の意のようにならなかつたからとて、擅に他人の植え付けた稲苗を引抜き損壊する如きＹの本件所為は（正当防衛・緊急避難にも当らず）自救行為を認めなければならないような特段の事情の存したことはこれを発見することができない（無罪を言い渡した原判決は事実誤認、法令の解釈適用の誤りがあり、破棄を免れない）」（東京高判昭三三・四・一六東京高時報九・四・一〇三）。

水路の所有権者が誰であるのか（恐らく公共の物か）不明であるが、もし被告人Ｙの所有にありとすれば、従来の判例理論によると、稲苗は附合によつてＹの所有に帰しているから、物件毀棄にならないともいえる。もし第三者の所有に属し、Ｙは水路専用権のみを有するにすぎないときは、緊急の必要性がない限り、適法な自力救済とはならない。Ｙは緊急の必要性を立証もせず、却つて逆に、久しく放置して顧みなかつたのであるから、不必要な自力の行使ともみられる。判示は正しい。

なお判決が自力救済に関し、「法が特に許容した場合もしくはこれに準ずる場合」で、「国家機関の保護を求めるについて時間的余裕」がない場合に、これが許されるとし、本件はこれをみとむべき「特段の事情」がないからみとめられないとしているのは、事情によつては、明規のない自力救済をみとめうることを示したものと解しえよう。本判決が引用する最高裁判決【53】は自力救済に関してここまで掘り下げて判示しているわけではないが、本判決がそれを敷衍した点に敬意を表したい。

つぎに通行権の妨害に対する自力救済として有名な事件がある。

【92】　Ｙは A 寺の檀徒である。A 寺は隣地のＸ寺の末寺であつたため、ＹがＸ寺所有地内の祖先の墳墓への参詣にＸ寺境内の通行を黙認されていた。ある日Ｙが墓参に行くと、Ｘ寺は板塀で通路を遮断していた。Ｙは迂廻しなければならないので、板塀約八間を自力で取毀した。原審はＹを物件毀棄罪に問うた。Ｙは上

告し、通行地上にA寺は占有権を有し、Yは通行権を有するから、板塀撤去は不法行為に対する権利の実行にすぎないと主張した。

「然レドモ判示地域ニ付キA寺が縦令所論ノ如ク占有権ヲ有シ且ツYガ墳墓ノ所有者トシテ該地域ヲ通行スル権利ヲ有シ従ツテX寺ガ板塀ヲ設置シタル行為ハ此等ノ権利ヲ侵害スル不法行為ナリトスルモYハ之レガ救済手段トシテ自ラ板塀ヲ撤去スルノ権利ヲ有セズ何ントナレバ我国法ハ特定ノ場合ヲ除クノ外所謂自力救済ナルモノヲ認メザレバナリ」（棄却）（大判大七・一一・五刑録二四・一三三五）。

先ずA寺が通行地について有した権利の性質について疑問がある。A寺とXとの間に特約はなく、X寺が通行を黙認していたにすぎない。Yの通行権の成立は二つの場合に考えられる。すなわち一つはYの墳墓所在地の所有者または賃借人として通行地役権の時効取得者（民二八三）とみとめられる場合、二つはA寺が該通行地について占有権（正確には準占有というべきであろう）を有していた場合であつて、この場合はYは檀徒として檀那寺Aの占有ないし準占有の補助者として通行権を有することとなろう。しかし第一の場合についてはAもYも自ら道路の開設をしているわけでないから通行地役権の時効取得はみとめえないであろう（大判昭二・九・一九民集六・五一〇）。そこで事実上永年通行が黙認されていたことにもとづき、A寺の占有ないし準占有の補助者として、Yは妨害された通行権の自力救済をなしうるのでないか。もし板塀設置の直後にYが通りかかつて、必要な限度に破壊したとしても一種の占有自救として許さるべきものと考える（明石・自力救済の研究一一七頁以下参照）。しかるに判決は、たとい通行地についてA寺が占有権を有し、Yが通行権を有しており、Xの板塀設置が不法行為だつたとしても、Yの自力除去が違法であるとする。しかもその理由は「我国法ハ特定ノ場合ヲ除ク外所謂自力救済ヲ認メ」ないからだとするのは、正当防衛や緊急避難以外に狭義の自力救済はみとめない趣旨であろう。しかしこれは余りにも狭い考えである（牧野博士も判決を不当とされる。刑法研究三巻一六二頁）。なお、英独仏などにおいて通行権を妨害する塀などの自力除去は正当な自力救済とみとめられる（明石「わが国の判例に現れた自救行為」法学論集三巻二号一一四頁参照）。

これに対してつぎのように妨害物除去を違法性なしとする下級審判決もある。

【93】 Aの放牧場の周囲に設けた牧柵が、隣地所有者Yの出入口を塞ぐ結果となつたので、Yが自力でその一部を除去した。いうに足りない程度の毀棄行為である。

「法は一般に自力救済を許さず、正当防衛、緊急避難等に該当する場合に限つてのみ違法性阻却の事由とするだけであるから、本件の場合にも自力救済は許されないという議論も成立する」が、「被告人がペンチで針金を切断し、横木を地上に転落させたものであつても、その数量は極く僅少であることは推察に難くなく、右の状態から原状に回復するに要する労力も取るに足りないほどの僅少ですむものといえよう。しかも本件木柵の存する位置は、前記認定の通り、文字通りの山間へき地で、現場に赴くだけでも高山市から二日を要するのであるから、いわゆる期待可能性の理論を援用するまでもなく、現時のいわゆる「一厘事件」として被告人の行為は社会通念上違法性のないものといえる」（高山簡判昭三四・一二・一一判時二二四・六七四三）。

【92】事件と対比して興味があるが、自力除去の程度が異なり、本判決とても自力救済を自力救済としてみとめる趣旨ではないようである。「一厘事件」にすぎないとして違法性を否定するだけである。

つぎに生活妨害のための自力救済を認容した刑事判決がある。

【94】 Xの家屋とA旅館とは壁一重で隣接しているが、突然にXはAの裏二階の窓を外側から、板で打つけて目かくしをした。それはAの客が痰を吐き、吸殻を捨てるからだとXはいうが、その目かくしによつて、Aは採光、通風上非常に障碍となつたのでAはYに依頼して二、三枚の板をはがした。器物損壊罪で訴えられた。

「(本件の目かくしは) 一夜のうちに予告なく作られねばならなかつたと謂う様な緊迫の事情の発生は毫も認められない。若しXの謂う如き事由があるならば、旅館と交渉により直に解決し得られたであろうことはAの供述に徴し輒く看取し得られる。然るに事玆に出でず前記の如く目かくしを作つたということは、常識を逸し、真に覗き見等を防ぐ為ではなく、相手を嫌がらせ、困らせてやろうというが如き寧ろ悪意に出でたものではないかと疑わしめられる。(Aは営業上支障があるので巡査派出所に訴えたが取上げられず自力で取除いてもよい旨を聞いたのでAはその定客のYに頼んで、目かくしの板二、三枚をはずしてもらつた)。之を要するに、本件の損壊行為は叙上説示する如き状況の下に生じたものであつて是等諸般の事情、事実を、法律上の救済手続による煩瑣、時間、費用の点と綜合考慮すれば、本件損壊行為は法秩序を紊し、社会の平和、生活の安全を破壊するものとは思料されず、社会通念に照し当然に宥恕さるべきものと認むるを相当とする」(佐世保簡判昭三六・五・一五下級刑集三・四九三)。

生活妨害物の自力除去に対する興味ある判決である。除去者に特別の緊急性もみとめられないが、「諸般の事情と法律上の救済手続による煩瑣、時間、費用の点」を綜合的に勘案して自力行使を違法ならずとした。これは英法の「日常の利便」にもとづく自力救済というのに相当する考え方であつて(明石・自力救済の研究一九五頁参照)、裁判所が法の具体的妥当性を重視していることを示すものとして注目したい。

九　電力供給と自力救済

電気事業法(今日の公益事業令)に違法した自力接続を違法とする判決がある。

【95】電灯の需要者であるAは電灯料滞納のため電灯会社Xと紛争を生じ、被告人Yに依頼して交渉中、XはAへの引込線を切断し送電を停止したため、Aの相談をうけたYは知人Bに切断電線の接続を依頼し、即時

に会社の許容なしに引込線を接続し電気を流通せしめた。原審はYを電気事業法三四条および刑法六一条一項をもつて処断した。Yは上告理由として、電気需要者が債務不履行であつても、送電停止には民訴法による強制執行によるべきであり、もし暴力的執行による送電停止をするならば、需要者側で任意に送電方法を講ずのは正当な自救行為であると主張した。

「電気事業法第三十四条ノ電業事業者ノ承諾ヲ得ズシテ電気工作物ノ施設ヲ変更シタル者ヲ処罰スル趣旨ハ畢竟事業者ノ承諾ニ基キ適当ナル手段ヲ講ズルニ非ズシテ濫ニ電気工作物ノ施設ヲ変更スルガ如キハ危険発生ノ虞アルヲ以テ之ガ防止ノ目的ニ出デタルモノナルコト疑ナシ而シテ会社ガ料金ノ支払ナキコトヲ理由トシテ電気需要者Y方所在ノ電柱ヨリ同人方ヘノ電気引込線ヲ切断シテ電気供給ヲ断絶シタルハ電気供給契約ノ不履行ニ過ギズト雖仮ニ之ヲ以テ所論ノ如ク不法ノ手段ナリトスルモ之ガ為ニ前記規定ニ違反シテ需要者ガ濫ニ送電方法ヲ講ズルガ如キハ正当ナル自救行為トシテ許サルベキニ非ズ」（棄却）（大判昭九・一二・一三刑集一三・一七二五）。

電気事業法（昭一六）一五条（現公益事業令五三条）によれば事業者は正当の事由なくして電気の供給を拒みえないが、契約者の料金滞納はこの正当事由になるから（大判昭八・七・七刑集一二・一一七七、同昭九・六・二六刑集一三・八九二）、もしXの送電停止が料金滞納によるのであれば正当である。また電力供給契約は一種の継続的供給契約であるから、前期の電灯料の支払と今期の送電が同時履行の抗弁をもつて対抗される関係にある点からも逆にXの行為こそが正当な自救行為である。しかも私人による勝手な電気施設変更は公共の危険とも関係するから、みだりに自力接続を許すべきではなかろう（電気事業法第三四条は廃止されても公益事業令第九二条として生きている）。しかし判決はXの送電停止が債務不履行であり且つ不法な手段だつたとしても自救行為は違法となるというが、もしYが延滞料金支払の後、緊急の必要性にもとづき且つ危険性のない程度の接続をしたのであれば違法性は阻却されると解したい（おそらく本件の事案はこの要件に当らないであろうが）。

一〇　名誉毀損と自力救済

請求権を実現するために、緊急の必要性から、或いは焦慮の余り、相手方の名誉を毀損するような行為に出ることもありがちである。ここに対照的な結論を下している二つの大審院判決がある。なお名誉毀損は共同絶交でも問題となるが、これについては後述する。（一四三頁以下参照）

【96】「最新教練教程」という著書につき、被告人Yが真の著者であるのに、Xが自著として出版し、Yのものを偽作としてYを誹謗する文書を各中学校へ発送した。それに憤慨したYが弁駁と同時に、Xを前科者とか出版法違反の常習者とかのべた文書を同様に発送したので、Yは名誉毀損罪に問われた。控訴審では「Yは……自己の正当な所以を声明すれば足り、Xの名誉を毀損する手段によらなければYの営業上の損害を排除しえない程度の急迫な事態にあつたと認めえないから、Yの行為は正当防衛または自救行為と解するに由なき」旨を判決した。Yは上告し、新学期を前にして焦慮していたこと、営業上の急迫による自力救済であり、刑法上の正当防衛である旨を主張した。

「原審ハXガ書面ヲ発送シタルコトニ依リテYノ名誉権ヲ侵害シタル事実ヲ認定シタルモノニシテ営業ニ対スル侵害ノ事実ヲ認定シタルモノニ非ズ。果シテ然ラバ被告ニ対スル急迫不正ノ侵害タル名誉権ノ侵害ハXノ書面ノ発送ニ依リテ既ニ発生シ終リタルモノナレバ適法ノ方法ニヨリ之ガ回復ヲ講ズルハ格別、被告Yガ更ニXニ対シテ同人ノ名誉権侵害ニ出ヅルガ如キ行為ハ防衛上已ムコトヲ得ザルニ出デタル行為ナリト謂フベカラザルト共ニ自救権ノ範囲ニ亦属セザルモノトス。仮リニ所論ノ如クYハXノ行為ニ依リ名誉権ヲ侵害セラレ延テ営業上多大ノ損害ヲ被ルコトアルベシトスルモ亦適法ノ方法ニ基キ之ガ救済ヲ求ムベク正当防衛権又ハ自救権アリト為スベキニ非ズ」（棄却）（大判昭八・三・二八評論二二刑法一九九）。

判決は名誉権の侵害が過去のものであるから正当防衛をなしえないというが、この場合にこそ自力救済によつて、名誉回復請求権の保全が可能なのである。それなのに「自救権ノ範囲ニ亦属セ」ずとなすのは、自力救済の理解の不充分によるのではなかろうか。そして本件は名誉権の侵害と同時に、著作権ないし営業権の侵害ともみるべきであろう。その営業上の損害が現に発生しつつあるとすれば、これに対する正当防衛の手段として、相手方の誹謗も許されることもありえよう。ただ誹謗の内容がいささか過激であるとすれば過剰防衛ないし過剰自救とはなりうる。しかし時期的に焦慮していたことも考慮しなければならないであろう。いずれにしても、正当防衛、自力救済を全く成立しえないとしたのは妥当でなかろう。もつとも控訴審で「急迫の必要性」をみとめなかつたが、これがみとめられれば、正当防衛・自力救済の成立をみとめる趣旨かとも察せられる。なお、ドイツ刑法一九三条の「権利の実行、防衛・防禦又は正当な利益の維持のために為した表示は」誹毀の罪として処罰しない旨の規定が本件に適切に妥当するのでないかと思う。この規定は我刑法の解釈上も三五条や刑法総則七章の諸規定から帰納される違法性の一般理論によつて同様に結論しうることについては小野博士の強調されるところであるが(小野・刑法に於ける名誉の保護三六頁以下、なお木村・刑法各論（新法学全集）一〇一頁も同趣旨?)本件被告の行為は「正当な利益の維持のためになした表示」として違法性を阻却するのではなかろうか。

右と酷似の事案について、大審院は自救的名誉侵害の違法性を否定する民事判決を出している。

【97】　Xは神戸市新開地で自ら経営するところの日の出庵食堂の営業を商号とともにYに譲渡した。Xは最早や同地区で同種営業をなしえないのに、右日の出庵の前に新な大衆食堂を開設し、ビールの不当廉売競争を始め、しかもXはYが不当廉売の張本人なるかの如き新聞広告をした。Yは防衛的弁明として、右の事実のほか、Xは詐欺を働いたこと、Xは飲食業組合員を煽動してYが社長たる凍氷会社の氷の不買同盟を敢行せしめ

Yが社長を辞めざるをえないようにしたことなどを新聞広告した。Xは名誉侵害として謝罪広告を要求した。第一審ではXは敗訴したが、第二審では、Yの行為は暴に報ゆるに暴をもつてするもので、防衛上止むをえない行為でもなければ、自救権の範囲にも属しないとして、Yに謝罪広告を命じた。Yは上告し、Yの行為はXの営業妨害行為に対する止むをえないものであり、Xの挑戦さえなければなされなかつたことを主張した。

「然レドモYガ前記ノ如キ新聞広告ヲ掲載セシメタルハXノ名誉ヲ害シタルモノト謂ハザルヲ得ザルモ若シ斯カル新聞広告ヲ為シタル動機ニシテXガY抗弁ノ如キ事実ニ依リYニ重大ナル損害ヲ加ヘタルニ在リ又ハXガ屡新聞紙上ニ於テ特ニYヲ誹謗スル広告ヲ掲載セシメYノ営業ヲ妨害シ其ノ名誉ヲ毀損シタルニ在リトセバYトシテハ右ノ如キXノ行為ヲ黙認スルコトヲ得ザルヲ以テ之ガ弁駁的広告ヲ為スノ已ムヲ得ザルニ出ヅルコトナキニ非ザルベク従テYガ新聞紙ニ弁駁的広告ヲ掲載セシメタルハ深ク之ヲ咎ムベキニ非ズ其ノ文詞ニ幾分ノ過激ナル言辞アリ反駁的態度ヲ超越シタル論調アリトスルモYヲシテXノ要求スル如キ新聞広告ヲ為シテ謝罪セシメザルベカラザル背徳ノ行為アルモノトスルハ其ノ当ヲ得タルモノト謂フベカラズ」（破棄差戻）（大判昭一〇・五・二一判決全集二・一七・三）。

右の【96】と本件とは好箇の対照をなすものである。両者はともに名誉毀損事件でありながら、実質は営業権の侵害に対する自力救済である。前者は刑事事件で誹毀罪の成否が争われ、後者は民事事件で名誉毀損の不法行為（民七二三）の成否が争われる点が異なるが、前の判決の理論を推せば、本件においても、侵害は過去であるから正当防衛とならず、さりとて自救権の範囲にも入らないから、他に適法な方法に依るべきであると云わねばならない道理であるが、大審院はかえつて誹毀的弁駁広告を「止ムヲ得ザル」ものとして認めたのである。一般的自力救済としては緊急性の要件を充すか否か、今少し事実が判然としないと断定でき難いが、誹毀の不法行為としては前件の場合と同様に「正当な利益の維持」の立場から違法性が阻却されるべきであると思う。比較法的にみてもドイツ民法八二四条（(1)他人の信用を害しその他他人の職業または発展に不利を生ずべき事実を真実に反して主張しまたは流布したる者は、その不実を知らざるもこれを知ることを得べかりしときは、これによりて生じたる損害を賠償する責に任ず。(2)通知者がその不実なることを知らずして通知した場合に於て通知者または通知受領者が通知につき正当なる利益を有するときは損害賠償の義務を負わず）の第二項がこれを規定し、また英国不法行為法上も文書誹毀 (libel) について、発表内容が真実であれば免責される（但し刑法上は免責されない）ほか発表者の正当利益の保護のための陳述が適当な限度であれば Self-protection として条件附免責特権事由 (qualified priviledge) とされている(Comp. Winfield, Tort, (6th ed. pp. 321, 356))

また最近は、債権の取立に当つて、多少信用・名誉を害しても、不法行為にならないとする下級審判決がある。

【98】 会社の解散にからむ複雑な事件であるが、要約すれば、被告Yが売掛金の支払または売渡商品（電気器具）の返還を求めるため、その使用人Aの指揮する四、五名の者を宣伝車と三輪車に分乗せしめ、原告Xの営業所に赴かしめたが、戸が閉つているので、Aらは通行人の見ている面前で大声で右の請求を呼びかけ、板戸の一部を破壊した。Xは自己の信用と名誉を害する不法行為として訴えた。

「しかしながら右使用人Aの所為は原告Yが門を鎖すことなくその債権取立の交渉に応じたならば、Xは債務者である本件訴外会社の清算人として受忍すべき程度の信用と名誉を毀損されたのに止り（中略）本件におけるような程度の信用および名誉の毀損を受けずに済んだものであるに拘らず、原告において門戸を閉し二階の窓から応待するような態度に出たから、右AにおいてもXの権利を主張するため止むなく戸外において大声を発せねばならず、結局債権取立の方法として債権者に許された範囲を或る程度逸脱したものであるが、前記事実から右逸脱部分は専ら債務者の代表者である原告の所為に基因するものというべきであるから、右Aの所為は違法性を欠くものといわねばならない」（大阪地判昭三五・一・一四下級民集一一・一・二六）。

右の判決も妥当のところであろう。

二　幼児の引渡請求と自力救済

まず、夫婦が離婚した場合や夫婦の一方殊に夫が死亡して妻が実家に帰つた場合などに於て、幼児に対して監護教育権を有する者がその引渡を要求しても、現実には殊に人情にからむ問題だけに解決がむずかしい。先ず自力救済の前提となる幼児引渡請求権に基づく強制執行が可能であるか否かについては争があり、殊に執行は許されるとして、間接強制か直接強制かは未だに判例学説が一致しない。判例は間接強制だとし（大判大元・一二・一九民録一八・一〇九二。なお明四二・八・七民刑局長回答も、執行吏は人身引渡の執行権限はないとする）、同旨の学説もあるが（木村「親権者の監護教育権」民商法雑誌一三巻一号五〇頁、杉ノ原・判例親族法の研究一四三頁、我妻・親族法（法律学全集）三三二頁など）、直接強制説も多い（薬師寺・日本親族法論一〇五八頁、山木戸・註釈親族法（中川編）上五〇頁、角田「幼児引渡の反処分申請」志林四四巻三号二七頁、吉川・強制執行法一三三頁、兼子・強制執行法二七八頁など）。しかしまた親権の妨害排除と人身保護法によるべきで強制を用うべきでないとの説がある（青山・続近代家族法研究一四三頁、同旨、中川・親族法下四八六頁）。しかし下級審判決では幼児の父方の祖父と実家に帰つた母親とが六カ月交替で交互に監護するという調停条項にもとづき、六カ月経過後に引渡さない母親に対し直接強制をなした事件で、高裁判決は祖父に執行権はないが、一般的に直接強制によるも人権無視にはならないとした（広島高松江支判昭二八・七・三民集六・三五六、鳥取地米子支判昭二六・一〇・九下級民集二・一〇・一二四）。それではつぎに子の監護教育権にもとづいて自力救済をなしうるか。幼児を実力で奪還することは、大岡裁きの故智のように、非人間的な取扱だともいえるが、また幼児の幸福のためかえつてその必要性のある場合もある。監護教育権が義務性の強いことからも肯定されえよう（同旨、山木戸・前掲四八頁、穂積「子の引渡の請求」法協三九・六・九九三、否定説、乾「子の引渡」立命館法学六・一〇五）。なお谷口博士は幼児の引渡請求について直接・間接の強制執行を否定される立場から、非監護権者が裁判所の引渡命令に従わないときは、結局、自力救済によるほか方法がないといわれる（「幼児引渡請求と人身保護制度」等」民商三八巻六号一〇四四頁）。ドイツ民法二二九条の解釈としても、これを肯定するのが通説である（明石・研究一三六頁参照）。

ところで幼児引取のための自力救済について、判例は手段の違法よりも、現在の子の幸福を重視し、監護権者による奪取の場合は勿論のこと、非監護権者による奪取の場合ですら、【100】のように、自力救済の結果たる現状を認容して、回復をみとめない傾向にある。しかしその場合に手段の違法と結果の認容とを分離して、手段の違法に対しては、賠償の請求を現実にみとめ、また犯罪や不法行為の成立を示唆する【99】【101】【102】。

監護権者たる父が産褥の母より幼児を奪取したのを違法とする終戦前の下級審判決がある。

【99】　内縁の夫婦間に金銭問題にからんで不和を生じ、妻Xは夫Y_1の家を去り実家に帰った。Xは正式に婚姻をしなければ金銭を提供するか、または子を引き取るようY_1に催告した。Y_1はその母Y_2と共にXの実家に至り、生後間もない赤子を抱えて去ったので、Xは不法行為として訴えた。同時に婚姻予約不履行にもとづく損害賠償も請求した。

「右乳児は被告Yの子なるが故にYにおいて之を引取るべき権利あり従て被告Yの前記行為は権利の行使にして不法行為をもつて目すべきに非ずと主張するも仮令被告Yに於て自己の子として之を引取るべき権利ありとするも、本件の如く生後僅か一週間を経過したるに過ぎざるものを其看護者たる母の意思に反し奪取に等しき行為に依りて之を遂行するが如きは、権利の行使として社会通念上許容せらるべき正当なる限界を逸脱し且つ其行使の方法を誤りたるものと謂ふべく到底法の認容すべきところに非ざるを以て被告等の右主張は採用せず。而して前記の場合において母親たる原告が精神上の平静を害せられ苦痛を蒙るべきはまことに見易きところなれば、被告等は連帯して慰藉すべき義務あるや勿論にして、叙上認定に係る諸般の事情を綜合すれば被告等は各自金五十円を支払ふを相当とす（なお別にY_1は婚姻予約不履行による原告の精神上の苦痛に対し四百円を別に支払わしめた）」（東京地判昭八・三・二六新聞三五四〇・一九）。

本件は自力救済の結果、すなわちY_1が子を引取つたこと自体は本来Xも望むところであるし、これを非難するものでもなく、再びXへの返還をみとめるものでもないのは当然であるが、未だ生後一週間の赤子に対する母の愛情を無視した奪取の方法、手段を非難して慰藉料をみとめた。目的と手段とを区別して手段の違法のみをみとめた典型といえよう。

つぎに、非監護権者たる祖父による奪還の結果を容認する控訴院ならびに大審院判決がある。

【100】　控訴人Xは女児B（当時七才）の父で親権者であるが、妻Aが病気で実家の父Yのもとで療養中、Xは女給Cと懇ろになつたためAと協議離婚した。A・B共にYが扶養していたが、Aの登校途中XはBを実力で連れ去つた。一〇ケ月後YはBを下校途中連れ戻したのでXはYを相手にBの引渡を請求する。第二審は、

「被控訴人Yノ前叙ノ所為モ人情上一概ニ批議シ難ク其心事ヲ思ヘバ恕スベキモノ無キニ非ザルノミナラズBトシテモ実父タルXノモトニ在ルトハ云ヘ現ニ酒場ヲ経営スル事実上ノ継母ニシテ而モ前身女給タリシモノト家庭生活ヲ営マンヨリハ既ニ夫ニ去ラレBノ成人ノミヲ唯一ノ慰安ト為シ居ルモノト想像セラルル実母ト共ニ祖父タルYノ許ニ在リテ都塵ニ触ルルコトナク養育セラルルヲ幸福ト認ムベク（B自身も既にXのもとに帰るを好まず）彼是思ヘバ此場合XハYニ対シBノ引渡ヲ請求スルハ正当ナル親権ノ行使ノ限度ヲ超ユルモノト認ムルヲ相当トス。果シテ然ラバYガBヲ抑留シXニ対シ其ノ引渡ヲ拒ムモ失当ノ処置ト為スベカラザルモノト謂フベシ」（東京控判昭一六・四・二二新聞四七一〇・一九）。

とした。これに対してXは更に上告したが、大審院判決は、

「親権者ニ未成年ノ子ノ監護教育権ヲ付与シタル法意ガ一ニ未成年ノ子ノ保護ニ在ルコト多言ヲ俟タザルト

コロニシテ、原審認定ノ如キ事情ノ下ニ在リテハ仮令親権者ナリト雖モ是非弁別ノ能力ヲ有スル未成年ノ子Bノ意ニ反シ強イテ同人ノ引渡ヲ求ムルハBノ幸福利益ノ為メ同人ヲ保護スル所以ニ非ザルモノト云フベク、原審ガ其ノ認定ニ係ル各事実ヲ綜合考究スルコトニヨリ、本訴請求ガ正常ナル親権ノ行使ノ限度ヲ超エルモノトシ之ヲ排斥シタルハマコトニ相当ニシテ之ト反対ノ意見ヲ主張スル論旨ハ理由ナシ」（棄却）（大判昭一六・九・九 新聞四七二六・一九）。

本件は無権利者（本件は旧民法により、祖父も実母もともに監護権はない）による奪還であるから、正当な自力救済といいえないものであるが、子の幸福を理由に、正当な監護権者の返還請求をかえつて親権の濫用だとする。これは人間関係に対する法の規制力の限界を示す典型的事例といえよう。

つぎに別居中の妻による幼児の奪取に対し夫から人身保護法による救済を請求したが最高裁はこれをみとめない。

【101】　夫婦が不和となり、妻Yは実家に別居し、夫婦の二子（三歳と一歳）は共にYが養育しているが、その三歳の子Aは、夫Xの母X′が路上で脊負つていたものを突如Yが暴力で奪取していつたものである。Xは栄養失調状態にあるAの人身保護法による釈放引渡を請求した。原審は、未だ乳幼児たる二子は母たるYに監護させるのが適当だとしてXの請求をみとめなかつたので、Xは上告したが棄却された。

「子の監護教育について（中略）今日未解決の状態において（中略）一応子の所在を原判決の如く母Yの膝下におくことをもつて子の幸福を図る所以であると認めたことは適当の措置である。請求者は、Y等は暴力をもつて長男Aを奪つたものであるから不法である、と主張する。暴力をもつて奪つた事実があるかどうかは原審の確定していないところであるが、かりに暴力をもつて子を奪つたとして、その暴力行為の社会悪として憎むべきは勿論であり、その暴力行為が刑罰法規にふれるかぎりは、処罰制裁を受けるべきは当然であつて、若し現在においてもその拘束が暴力をもつて行われているとか、或いはその暴力奪取の結果が現在の拘束にも何らかの影響を与えているという場合ならば、もとより速かにその暴力を排除して被拘束者を自由の天地に解放するということは人身保護法の使命とするところであるけれども、かりに暴力で奪つたという事実があつたとしても、今日母の膝下に平穏に養育せられている状態が原審認定の如く子供のためにむしろ幸福であるとしたならば、その暴力行為に対する刑事上の問題はともあれ人身保護法の適用の問題としてはことさらに、現在の状態をもつて、不法の拘束なりとし子供を母のもとから取上げて、強いて父のところへ返さなければならないということはない。（中略）原審の判断はまことに条理を備えたものといわなければならない」（最判昭二四・一一・一八民集三・一〇）。

監護権の有無よりも、暴力行使という手段の違法性よりも、その結果を重視し、子の幸福の如何によつて、結果の保持を決めるものである。本件は戦後にできた人身保護法による救済を求めるものであるが、実質的には前の【100】の事件と同一である。ただ本件では、夫による回復請求を阻止するのに、親権の濫用というような技巧を用いなくてすむことになつたわけである。

こんどは監護権者が非監護権者から幼児を実力で連れ去つたのに対し、人身保護法の救済を求めたが、やはりみとめない。大法廷判決である。

【102】　六歳の幼児Bは母Aと共にその内縁の夫Xのもとで不自由なく養育されていたが、Aの死亡後、Aの祖父Yは裁判所よりBの後見人に指定されたので、Bの引渡を求める訴訟中に、Y夫婦はBの幼稚園からの帰途を待受けこれを自転車で連れ去り、爾来Y方に同居させて帰さない。Xは人身保護法による釈放引渡を求めた。一、二審ともにX敗訴。原審は、Y等は不当にBを拘束するとはいえない。Yの奪取行為は穏当を欠き、充分非難に値するが、止みがたい骨肉の情に出たものであり、現在平穏に暮しているのだから、BをYらからとりあげることは、非常応急の措置を定めた人身保護法の限界を超えるとした。これに対し、Xは実力による誘拐同様の拉致行為は許さるべきでないとして上告した。

「本件の実質は要するに、幼児の養育者であつた請求者と、現にその幼児を監護する拘束者たるその祖父及び祖母との間の幼児引渡の問題即ち幼児に対する監護権の所在の問題に帰着するものである（かかる問題を人身保護事件とするのには疑義もあるが）この制度が今日その適用範囲を拡張し、幼児引渡に及ぼされるに至つていることは、内外の学説判例に徴して明かである（人身保護規則三七条もこれを前提とし、同四条は幼児引渡に適用あり）。進んで論旨の当否を検討するに（本件で自由の拘束がないとは断じえないが、拘束者は祖父母であるから、人身保護請求に必要な無権限または法令の定める方式・手続に違反する顕著性がないから別個の手続によれば格別、人身保護請求による引渡は理由がない）拘束者等が請求者のもとから被拘束者を連れ去つたことが穏当を欠くものであつたとしても、この事を以て現に行われている拘束が法律上正当な手続によらないもの、権限なしになされ、或いはそれに著しい法令違反が存することが顕著なものと断定することはできない」（棄却）（最判昭三三・五・二八 民集一二・八・一二二四）。

ただし右の判決には多数の補足意見や少数意見がついている。実力奪取に関連するものだけを挙げると、補足意見として、

「法律上正当の手続によらない」拘束とは救済を求めるときの状態において現に人身の自由が不当に奪われている場合をいうので、現在監督権者の下にあつても自由が不当に奪われておれば人身保護の救済が与えらるべきだし、実力奪取でも、現在幼児が幸福な生活環境にあればこの救済を与うべきでない（河村裁判官）。

つぎに少数意見として、

「当裁判所小法廷判例（昭和二四・一・一八）は実力をもつて奪い去つたという手続の違法を認めつつそれとの比照において現在の拘束が正当の権限に基くことと、被拘束者のためむしろ幸福であるということの二つの理由で救済の請求を退けているが、本件多数意見は、この点につき何等判示することなく……と排斥し去つている。

法律上正当の権限ある状態を作出してしまえば、手段の暴力は暴力とはならないという結果になりかねない。多

数意見は……現在の状態と手段の暴力との法律上の関係について明かな判示をすべきであつた」（小林裁判官）。「拘束者は法の埒外において実力を行使したもので、正に人身保護法一条二条のいわゆる法律上正当な手続によらないで身体の自由を拘束したものだ……僅に二〇日余りで、安定した自由を回復したと認めるのは不当で被拘束者は現に自由を奪われていると認めるのが相当である……占有の訴が本権の有無に拘りないと同様に、人身保護の請求は被拘束者と拘束者との間の身分関係や被拘束者の将来の幸福の可能性の問題などは考慮外におかるべきだ。本件は幼児の自由を現在の保護者の手からもぎとつたような事案で、人身保護法を幼児の場合に適用するについてはモデルケース的のものであつたのに、被拘束者の身柄の釈放を得させなかつたのは遺憾である」（下飯坂裁判官）。

本件も手段と結果とを分離して、結果の正当性をみとめて、人身保護法による回復を否定する。しかし結果ないし現状の正当性については特に判断を示していない点で前記【101】の判決に対比して物足りないことは小林裁判官の意見の通りであるが、それは恐らく河村裁判官の補足意見の通り、【101】の判決と同じく、子の現在の幸福のためという理由であろう。自力救済の手段の正、不正と結果の保持の認否とは別箇に考えるべきことは、占有の交互侵奪の場合と同様である。殊に幼児と物との差は一層にその必要を感ずる。それは現状が手段を正当化す（小林裁判官の意見）という意味ではない。以上いずれの判決も手段の違法性はそれとして問題としており、殊に【99】の判決のように慰藉料すらみとめているのであつて、それでよいであろう。しかし注意すべきことは、前にも少しふれた谷口博士の説である。「幼児の人格を尊重するため、その引渡請求のための直接・間接の強制執行をみとめない場合は、調停や判決の結果、引渡義務がみとめられても、任意に引渡さないときは、引渡命令よりも、監護権者の監護権行使（引取り）を妨害すべからずという判決によつて、監護者の実力的連去りを認めるのが望ましいと考えるが、引渡命令の場合には自力救済的に子を連れ去ることを認めるの外方法がないように思われる。かく見てくると結局、子の事実上の監護に関する争は実力による奪い合いになり……その結果の当否を判断せしめるのが人身保護法の任務である」旨をのべていられる（民商法雑誌八巻六号一〇四五頁）。しかしこのように実力的奪合いを公認する結果になるのであれば、むしろ公力による直接強制をみとめ原則としては自力救済をみとめない方がよいであろう（ただ結果の保持の認否は別として）。

二　集団的ないし公益的自力救済

一　一　般

集団の力をもつて、または集団的活動によつて請求権を実現したり、妨害を排除したりすることがおこなわれる。そしてそれは集団の構成員の私的な利益を追求するためである場合が多いが、また一部構成員による公的、全体的利益すなわち公益を追求するためであることもある。

一般の労働争議は法律によつてみとめられた集団的自力救済の典型といえようかと思う。また労働争議の正当化理由を自力救済に求める学者もある。しかし労働争議は実体法上の請求権の存在や緊急性を必須的前提とするものでない点において一般の自力救済とはいささか趣を異にするし（ただ生存権につながる自己の利益の保全ないし実現という意味で、広義の特殊的自力救済といえるが）、また労働争議は一般に労働法という特別法の分野で広く考究されている問題であるから、ここでは一般的にはふれない。ただ実体法上の債権の存在を前提とし、しかもその請求権実現のための自救の手段をとつた美唄炭鉱労働争議の判決をつぎに紹介しておきたい。

【103】　美唄炭鉱労働組合の労働争議において、従来支給されていた坑内五円、坑外三円の出勤手当を将来打切る旨の会社からの通達に対して組合員Yらが争議を指導し、所長や副長を協和会館まで連行拉致し監禁したので不法監禁罪に問われた。

「所論は、本件美唄炭鉱労働組合の要求は、いずれも正当なもので出勤手当坑内五円、坑外三円の支給は組合側から見れば一種の債権であり、これが実施要求のためなした被告人等の所為は、労働争議行為として正当な行為であるからその違法性を阻却するというのである。しかし仮りに、出勤手当坑内五円、坑外三円の支給を受けることが組合側から見れば一種の債権であり、且つこれが要求のため団体交渉をすること自体が正当であるとしても、その手段としてなされた被告人等の所為は、原判決の確定したところを要約すれば、喧騒する大衆の面前で後藤所長、野田副長に対し、要求事項の承諾を求め、同人等が機会を改め委員会を設けて折衝したいと申出ても、被告人等はこれを許さず、その目的貫徹までは帰さないで頑張るから大衆諸君も頑張れといい、又罵声、怒号する大衆の前で、長時間に亘り交渉を続け、後藤、野田が脱出しようとすると、組合員、大衆も同人等を取囲み、被告人等もその脱出を阻止し、その間後藤、野田に睡眠も与えず交渉を続けて、昭和二一年二月一七日午後六時過頃から後藤に対しては翌一八日午後三時頃迄野田に対しては翌々日一九日午前三時頃までその場に留るのやむなきに至らしめたというのである。かかる被告人等の行為は、当時の社会情勢を考慮にいれても社会通念上許容される限度を超え、刑法三五条の正当の行為とはいい得ないのであつて、被告人等の行為は違法性を阻却されるものではない」「他人に対し権利を有する者が、その権利を実行する行為は、それがその権利の範囲内であつて、且つその方法が社会通念上一般に許容されるものと認められる程度を超えないかぎり、何等違法の問題を生じないけれども、その行為が右の範囲又は程度を超えるときは違法となり、犯罪を構成することとあるべきは勿論である。そこで仮りに本件美唄炭鉱労働組合員は、坑内五円、坑外三円の出勤手当の支給を受ける権利を有して居り、これが存続を要求するため、本件行為に及んだものとしても、その手段としてなした被告人等の行為は、当時の社会状態を考慮に入れても、社会通念上一般に許容される限度を超えたものであり、刑法三五条の正当な行為とはいえない。……その行為は不法監禁罪の構成要件を充すものであるから、原判決がこれを同罪に問擬したのは正当で、所論のような違法はない」（棄却）（最判昭二八・六・一七刑集七・一二八九）。

正当な労働争議は実定法上は刑法三五条に該当するものとして違法性阻却事由とされる（労組一II）。本件判決でも本条に該るか否かを問題としている。しかし本件は特に請求権の存在を前提としているから、自力救済とみることもできるが（実定法の解釈としては自力救済を正当行為の一種とみる説も多い。明石・自力救済の研究二六〇頁以下参照）、その手段の限界を示した判決として注目したい。それは「社会通念上一般に許容せられるもの」というが、それを決するには「当時の社会状勢」は勿論のこと一切の事情が考慮さるべきである。

つぎにやや古い事件であるが、国体防護のための自力救済を主張する神兵隊事件を挙げよう。弁護人は自救行為をも主張するが判決はその正当性をみとめない。

【104】民間右翼団体による内乱未遂事件としてさわがれた例の神兵隊事件につき、左の如き判決がなされた。事件は昭和八年に発生し判決は昭和一六年に行われた。実に八年の長きにわたる裁判である。

「弁護人は本件行動は判示の如き事情に因り皇国の国体が蹂躪せられ皇国が非常の危局に瀕したるを以て国体を防護し皇国を富嶽の安きに置き其の永遠の発展を期するが為之を為したるものなれば正当防衛若は緊急避難として無罪たるべく仮に正当防衛若は緊急避難として之を論ずることを得ずとするも自救行為若は法律上正当なる行為として無罪たるべきものなる旨主張するを以て案ずるに一定の加害行為が正当防衛若は緊急避難として違法性を阻却せらるる為には其の行為が急迫不正の侵害若は緊迫せる危難を排除し若は避くるに必要已むを得ざるものに限るものと解するを相当とす。其の採らんとしたる本件暴動行為は当時の諸般の情況に照し必要已むを得ざるものとは容易に之を認むるを得ざるが故に本主張は之を採用せず又自救行為は現行法の認めざるところにして是亦夙に判例の示すところなるを以て本件行動を自救行為として無罪なりと謂ふは当らず」（棄却）（大判昭一六・三・一五刑集二〇・二六三）。

国家のため、すなわち公益のための正当防衛や自力救済がみとめられるか否か争いのあるところであるが、正当防衛については既に判例（最判昭二四・八・一八刑集三・一四六五）や多くの刑法学説がこれを認容している（木村亀二・刑法総論（法律学全集）二九五頁、植松・刑法学総論一二七頁、佐伯・刑法総論一八九頁、団藤・刑法総論一六五頁、牧野・刑法総論上四四八頁、荘子「正当防衛」総合判例研究叢書刑法（1）一四一頁など）。判例は公共福祉の原則にその根拠をおくが、自力救済についても、同様の理念にもとづき、侵害された公益の回復に対して拡張的にみとめらるべきであろう（現行犯逮捕の規定（刑訴二一三）はこれをみとめた規定といえよう）。しかし何が「国家のため」かは独断に陥らしめてはならない。またその場合は緊急の必要性の要件が特に厳格に要求され、濫用に陥らないことが必要である。右の判決が正当防衛、緊急避難、自救行為のいずれをもみとめなかつた結論は正しいであろう。ただ「自救行為は現行法のみとめざるところ」といつているのは、形式的法文のみにとらわれ、自救行為の超法規性を無視するものであつて妥当でない。

つぎに終戦直後に隠退蔵物資の放出強要について劃期的な最高裁判決がある。

【105】　被告人Yは（終戦直後）生活擁護同盟の委員として、主要食糧の公平分配を期するための大衆運動を指揮していたが、財団法人共栄会十条支部所属御代台倉庫内に貯蔵されていた大豆その他の物資を隠退蔵物資と推断し、これを摘発して同盟員に分配することを企て、二千名の大衆を動員し、自ら代表者となつて右十条支部長Xに対し右物資の譲渡方を交渉し、その際の方法が脅迫に相当し、それによつて右支部長に義務なき行為を行わしめてその目的を達した。Yは脅迫罪をもつて処断された。Yは当時の物資不足の世相からみて、そ

の行為を緊急避難ないし自救行為であると主張するが、

「そもそも緊急避難とは『自己又ハ他人ノ生命身体自由若クハ財産ニ対スル現在ノ危難ヲ避クル為メ已ムコトヲ得サルニ出テタル行為』を言うのであり、右所謂『現在の危難』とは現に危難の切迫していることを意味し、又『已ムコトヲ得サルニ出テタル』というのは当該避難行為をする以外には方法がなく、かかる行動に出たことが条理上肯定しうる場合を意味するのである。又自救行為とは一定の権利を有するものが、これを保全するため官憲の手を待つに遑なく自ら直ちに必要の限度において適当なる行為をすること、例えば盗犯の現場において被害者が賍物を取還すが如きをいうのである。然るに本件被告事件発生当時における東京都内の食糧事情は一般公知の如く或る程度不足状態にあつたというに止り、一般都民が所論のような逼迫した窮乏状態にあつたともいい得ないのであり、又後段他の論旨に対する説明により明かなように、被告人等はXに対し本件物資の上に何等の権利をも有していなかつたのであるから、被告人等の本件所為が緊急避難又は自救行為のいずれにも該当しないことは多言を要せずして明白である」(棄却)(最判大法廷昭二四・五・一八判例体系刑法総則(I)七九九頁、刑集三・七七二に本件の判決録がのせられているが、右の傍点の部分は不登載)。

この判決は大審院・最高裁判所として自力救済の内容を実質的・具体的に明示した最初の判決で劃期的なものといえる。しかし請求権の保全といわず、権利の保全としている点は賛しえない。また実例として盗賍取還を挙げているが、このような占有自救に限られる狭い範囲にしかみとめられない意味とすれば妥当でない。何故か右の自救行為の定義の部分だけ最高裁判例集から削除して登載されている。最高裁としてこの部分のみは自信がなかつたためかと思われる。しかしその後【82】の事件において仮案二〇条ないしドイツ・スイスの立法にならつた自力救済の定義を明示するに至つている。なお本判決が結論的に自救行為の成立を否定したのは、事案に即してみて妥当と考える。

つぎに舞鶴事件というのがある。

【106】　舞鶴引揚援護局の寮内でおこなわれた帰国者大会（昭二八・五）の際に、非公開となつたのに退場しなかつた同局婦人職員中島を捕え、食堂に六時間以上も抑留し、メモ等を出させ尋問したりなどした。

「被告人両名が右食堂における抑留に加担し、更に被告人小松がその後の抑留にも加担した事実は一連の監禁の構成要件に該当し形式的に違法性の存在を推認せしめるものであることは明かである。しかし行為の違法性はこれを実質的に理解し、社会共同生活の秩序と社会正義の理念に照し、その行為が法律秩序の精神に違反するかどうかの見地から評価決定すべきものであつて、若し右行為が健全な社会の通念に照し、その動機目的において正当であり、そのための手段方法として相当とされ、又その内容においても行為により保護しようとする法益と行為の結果侵害さるべき法益とを対比して均衡を失わない等相当と認められ、行為全体として社会共同生活の秩序と社会正義の理念に適応し法律秩序の精神に照して是認できる限りは、仮令正当防衛、緊急避難ないし自救行為の要件を充さない場合であつても、なお超法規的に行為の形式的違法の推定を打破し、犯罪の成立を阻却するものと解するのが相当である。本件について考察すると（中略）（中島を捕え食堂で尋問などした行為は）その目的において正当であり、手段方法も亦相当と認められ、その内容としての抑留もそれにより中島に加えられた身体の自由の侵害は、同女によつて帰国者が受けた集会、結社、思想、表現等の自由の侵害の程度に比し未だその程度を超えるものとは認め難く、全体として相当と認められるから、（中略）行為の違法性を阻却すると解すべきであつて、その根拠は窮局するところ刑法第三十五条にこれを求めるのが相当である」（東京地判昭三一・五・一四判時七六・二〇二七）。

ところが、これに対する控訴判決においては原判決が破棄された。判決は長文であるが、自救行為ないし実質的違法性論に関する部分だけを摘記する。

「たとえその態様において正当防衛又は緊急避難に近似する場合においても、急迫の侵害又は現在の危難というが如き緊急性の要件を欠ぐ場合に、これに対し実力行動によりなされた防衛的又は避難的行為につき違法性の阻却される場合を認め得るとしても、それは極めて特殊例外の場合であつて濫りにこれを認め得ないことは勿論、そのための要件は正当防衛又は緊急避難の場合に比し、一層厳格なものを要するものと解すべきは当然であつて、その行為の目的の正当性、法益権衡等の要件を具備する外特にその行為に出ることがその際における情況に照し緊急を要する已むを得ないものであり、他にこれに代る手段方法を見出すことが不可能若しくは著しく困難であることを要するものと解するのが相当である」（東京高判昭三五・一二・二七判時二九九・一〇三九）。

そして原判決は食堂への監禁の必要性の有無に関して判断しておらないとして、違法性阻却事由の存在ないし実質的違法性に関する原判決は判断を誤つているとした。

右の一審判決は「自救行為の要件」といい、一定の要件を充せば自救行為が成立することをみとめているようであるが、二審判決では正当防衛、緊急避難の語のみで自救行為の語が用いられていないのは、これをみとめない趣旨であろうか。それにしても実質的違法性論にもとづく超法規的違法阻却事由たる右の諸行為が緊急の必要性を要し、本事案がそれを欠くとしたのは、恐らく結論的に正しいものであろう。

またいわゆるポポロ劇団事件がある。

【107】 事件の大体の筋は、東大ポポロ劇団の演劇発表会（昭二七・二）に、情報収集の目的で私服の巡査三名が入場券も買い観劇していた。顔見知りの学生に察知され、逃げようとしたが捕えられ、暴力的に警察手帳を奪取された。この事件は憲法二三条の学問の自由、大学の自治との深い関連において論じられたのであるが、ここでは違法性阻却事由の点のみをかかげる。

一審においては、「警官の個人的法益の価値と被告人の自由擁護の持つ国法上の価値並びにそれによる憲法的秩序保全という国家的国民的利益」の比較秤量によつて違法性を決すべきであるが、その結果被告人の行為は法令上正当な行為であるとした（東京地判昭二九・五・一一判時二六・六〇三）。これに対して検事控訴がなされたが、二審判決も原判決を支持し控訴を棄却した。すなわち

「原判決において正当行為というのは、一般に法益に対する不法なる侵害行為に対しては、一定の限度内において之を阻止排除する権利あることを前提とし、その防衛の限度および方法自体も亦公共の秩序を紊さざる範囲に止まるべきであるが、その公序とは憲法以下法律全体によつて企図せらるる均衡と調和の維持せらるることをいうのである。而してこの秩序を紊して或る法益に対し侵害を加える行為については当然一定の阻止排除行為が公認され、而してその排除行為にして同様の公序を紊さざる限度に止まり之により防衛をうける法益が防衛行為によつて損害せられる法益と適当の比例を保つて相当優越する場合においては、その防衛行為は正当行為として背認せられ、刑法上も違法性を阻却するものと解するを相当とする。而してこれは所論の如く正当防衛や自力救済の法則とも範疇を一にせず又刑法第三五条を形式的に引用するものでなく、同条にいわゆる正当の観念の基礎をなし一層広汎且つ深遠な法則として一般に認められている条理である。而して亦此の理論はその初め侵害を受けた法益が身体財産等に関する私益たると研学教育機関等に関する法益たるとによつて差異ある理由なく、又その防衛行為主体は被害法益の主体自身たると之に準ずる地位の者もしくは第三者とを区別すべき必要もみない」（東京高判昭三一・五・八判時七七・二〇六一）。

ところがこれに対して、さらに検事控訴がなされた結果、最近の最高裁判決は一、二審の判決をともに破棄して、第一審たる東京地裁へ差戻した。その判決理由ではただ、

「憲法二三条の学問の自由、大学の自治の意義をのべ、さらに大学の学生集会を学問的集会と政治的社会的集会とに分け後者は学問の自治と自由とを享有しない。第一審および第二審判決は学問の自由、大学の自治に関する解釈と適用を誤つている」旨をのべたにすぎず違法性阻却事由にふれていないが、

四裁判官（入江、奥野、山田、斎藤）の補足意見において、

「被告人は警察官が自発的に立ち去ろうとしているのに、無理に引き止めて、判示の如き暴力を加えたというのである。然らば本件暴行は警察官の立入行為を阻止、排斥するために必要な行為であつたとはいえず、警察官が警察活動を断念して立去ろうとしている際に、もはや現在の急迫した侵害は存在せずその排除とは関係なく、被告人が警察官に対し暴行を加えたものというべきであるから、違法行為を排除するため、急迫にして必要已むを得ない行為であつたとは到底認めることはできない。わが刑法上、加害行為が違法性を阻却するのは、例えば正当防衛、緊急避難等の場合におけるように、法益に対する侵害または危難が現在し、これを防衛するために行なわれる加害行為が緊急の必要にせまられて已むを得ないものと認められる場合でなければならないものと解すべきである。然るに、被告人の本件加害行為については、かかる緊急性は認められないのみならず、過去において違法な警察活動があつたとか、また将来における違法な警察活動の防止のためとかいうが如き理由では、到底本件加害行為の違法性を阻却するに足る緊急性あるものと認めることができないことは明白である。第一、二審判決は、法益の比較均衡のみに重点をおきすぎて、右の緊急性について十分な考慮をめぐらしていない憾みがある。それはひつきよう、判決に影響を及ぼすべき刑法の解釈に誤りがあることになり、これを破棄しなければ著しく正義に反する」

また垂水裁判官の補足意見では

「原判決が犯罪の成立を阻却すべき事由として認めた事情の如きは刑法上何ら右犯罪の成立を阻却するに足るものでなく、右の場合超法規的犯罪成立阻却事由があるとした原判決の法律判断も失当である」とする。

違法性阻却事由の存否につき高裁と最高裁では相当に理解の喰い違いがあるようである。最高裁では、違法性阻却事由は、緊急行為に限るが如き印象を与える。これに対し高裁はむしろ刑法三五条の正当行為の範疇に入れようとし、緊急性よりも法益の権衡に重点をおいて考察している。この点はむしろ最高裁が二審判決の趣旨を誤解しているように思われる。もっとも最高裁としては、具体的事案において、緊急性もないのに、刑法三五条の正当行為として違法性を阻却させるべきでないという趣旨なのかもしれない。それならば私も賛成である。被告としては、警官に退場を命ずれば足ることであり、損害があれば、後で賠償を求めれば足りよう。暴力を加えたことは過去の侵害に対する一種の復讐であり、リンチであろう。これが正当防衛、緊急避難、自力救済のいずれにも該当しないことは最高裁判決の補足意見の通りだと考える。しかしさらに再考するならば、激昂した当時の環境としては、この程度の暴行に対して違法性をみとめねばならないかどうかはいささか疑問がある。せいぜい過剰防衛ないし過剰自救というべきものではなかろうか。

同じく学園の自由権の侵害に対する排除を目的とする自力救済として、愛知大学事件がある。

【108】 夜間に、挙動不審者を職務質問する目的で、これを追跡して愛知大学構内に立入つた警官二名に対し、折柄警官の情報蒐集活動を警戒していた学生らが暴行脅迫を加え、且つ警官一名を不法監禁した上、謝罪文を作成させる等、義務なき行為をなさしめ公務執行を妨害した。

「学問研究の自由は憲法によつて保障され」ており、警察活動はそれを犯すおそれがあるから、緊急やむをえない場合以外はむやみに大学内でおこなわれてはならない。ところで刑法三六条、三七条は違法性阻却事由たる正当行為(刑三五)の例示的、具体的規定であるから、「或構成要件該当の行為が、その目的において、その行為当時におけるわが国の法律秩序全体から見て正当であり」法益の権衡も保たれ、しかも「緊急已むをえないものであるという要件を充し、結局さきに説示した行為の実質的違法性に関する評価により、違法性を否定される場合には、刑法において具体的に違法阻却事由として規定されている場合に該らなくとも、なお違法性を阻却する事由の存在を認めるを相当とする」として、一部の行為を過剰行為とするほかは違法性のないものとして被告の刑を免除した（名古屋地判昭三六・八・一四判時二七六・九三〇五）。

この判決では正当防衛、緊急避難などを刑法三五条の正当行為の一種と見る点に特色がある。ポポロ事件の二審判決なども共通のものがあるのかと思われる。

つぎには集団的行動ともいえないが、顔写真を写したカメラの奪取を違法でないとする判決がある。

【109】 警官が収監状執行の資料をえるため、本人の承諾なしに通行中の被告人等（共産党員）をひそかに写真撮影したのに対し、これを詰問し暴行を加えてカメラを強奪し傷害を負わせた一審では、

「憲法一二条が規定するように、国民に保障する権利と自由を保持するのは国民の義務であるから、それを侵害された場合に、裁判所に救済を求めるほか、自らも合法的な手段で圧迫に抵抗することは許される。しかしまた次条にあるように、前記権利侵害が公共の福祉保持の必要上なされた場合はこれを忍従すべきである。被告人等は収監状の執行と関係がないから警官の行為は公共の福祉と関係がなく、被告等の動機目的は正当である。しかしカメラ強奪という手段は形式的には違法である。しかし

『およそ行為の違法性は当該行為が実質的に刑罰法規のみならず公法私法によつて裏付けられる社会秩序の全体に違反するか否かによつて決定されるものであるから、弁護人主張のようにその行為が動機目的の点において正当であり、手段方法の点において相当であり、しかもその行為をなすことによつて侵害する法益に比して行為者の受けた法益の侵害が均衡を失わず更にその全体から観察して社会通念上一般正義観念に副い共同生活の秩序を破壊しない限り、それが正当防衛、緊急避難乃至自救行為の要件を充さない場合でも超法規的に行

為の形式的違法性の推定を覆し犯罪の成立を阻却する場合のあることは肯定されなければならない』。ところが被告の手段は相当性を欠ぎ、自救行為及び超法規的に違法性を阻却するいずれの場合にも該当しない。しかしそれは過剰行為に当るので刑を免除する」（大分地判昭三三・五・二六判時一五五・四五〇四）。

ところがこれに対して控訴がなされ、二審ではくつがえされた。

「原判決に於ては被告人等の行為を強盗傷人罪に問擬しながら（当審では証拠不充分と認定）尚刑の免除をしている関係もあるので、量刑の点について考察して見るのに、被告人等の本件犯行の動機目的は之を是認しうるとしても、その行為たるや判示の通り多数の暴力をもつて巡査手島時生の反抗を完全に抑圧してその携帯した写真機を強取したもので法秩序を破壊すること甚だしく超法規的に刑の免除をなすのは相当でないが、右動機目的および被害者の無断写真撮影行為が本件犯行を誘発する直接の原因となつていること等を考慮すると情状酌量をなすのが相当であると考えられる（懲役二年、執行猶予二年）」（破棄自判）（福岡高判昭三三・一一・二七判時一七七・五三六六）。

つぎにデモ行進中の撮影について

【110】　安保条約改定阻止デモのジグザグ行進中に警官Xが被告Yらを至近距離でフラッシュにより撮影した。YらはXを取囲み、逃れんとするXを追跡して突飛ばし、両腕をとらえ、不法に逮捕した。逮捕罪で訴えられた。

「右の逮捕が不法逮捕といいうるためには、被告人らの行為が正義の理念を基本として全体的な法秩序の精神に反し、社会通念上も許されないものでなければならない。そして国家権力を行使する警察官により、違法に写真を撮影され殴打されて国民の権利が著しく害されたような本件の場合においては、侵害さるべき法益との対比により均衡を失わない限度において、相当な手段方法によりなされたものであれば、何等かの犯罪構成要件に該当しても、違法性を阻却し犯罪を成立させないものと言わねばならない。本件の場合において……被告人等の行為は興奮したデモ行進中の出来事であることを考慮に入れると、前示の通り極めて軽度のものであつて必要の程度も超えず、又Xの違法行為に対し均衡を失することもないと考えられる。以上のとおり被告人等の所為はその動機目的は正当であつて、均衡も失せずその手段方法も相当であり、又被告人等の所為は全体として見ても社会通念上許される当然の行為と解されるから、実質的には違法性を欠くものと言わねばならない。よつて刑法三五条によつて犯罪の成立が阻却される……」（大阪地判昭三七・一・二九判時二八七・九七四一）。

本事案でジグザグ行進が違法であつたとすれば証拠保全のため顔写真撮影も適法であるから、右逮捕行為は職務執行妨害罪ともなるであろうが、そこまでの違法性が確認されていない以上は、顔写真撮影が違法となる。そうすると、被告の行為はいささか過剰であるが、一種の自力救済とみるべきであろう（判決は正当行為とするが）。

つぎに奈良学芸大学事件がある。

【111】　奈良学芸大学を会場とした道徳教育指導者講習会において被告Y_1らは故なく会場に侵入し、またY_2らは木柵を損壊したりなどした。暴力行為等処罰法違反とされた。被告らは超法規的違法阻却事由と抵抗権を主張する。

「一般に法益に対する不法なる侵害行為に対して一定の限度でこれを阻止排除する権利のあることを前提としてある行為が犯罪の構成要件に該当し形式的に違法性の存在を推認せしめるものであつても行為の違法性をこれを実質的に理解し、若し右行為が健全な社会の通念に照し、その動機、目的に於いて正当であり、その為の手段方法として相当とされ、他の方法によることができない唯一の方法であること、又その内容に於ても行為により保護しようとする法益と行為の結果侵害さるべき法益とを対比して均衡を失わない等相当と認められ、行為全体として社会共同生活の秩序と社会正義の理念に適応し、法律秩序の精神に照し是認できる限り、仮令正当防衛、緊急避難ないし自救行為の要件を充さない場合であつても超法規的に行為の形式的違法の推定を打破し、犯罪の成立を阻却するものと考える。（被告人は表現の自由の侵害に対す排除だというが、何等の侵害はみとめられない）被告人等の住居侵入行為及び木柵破壊行為は説得行為の手段として健全なる社会の通念に照し相当なる手段方法で且つ唯一のもので行為全体として社会共同生活の秩序と社会生活の理念に適応し法律秩序の精神に照して是認できるものとは到底考えられない」（奈良地判昭三六・三・一三下級刑集三・二四五）。

これも超法規的違法性阻却事由の意義を宣明する判決として意義がある。そして「自救行為の要件を充さない場合であつても……」というのは、明文の規定のない自救行為をみとめることを前提とするものといえよう。

つぎに大阪学芸大学事件というのがある。

【112】　巡査Xは大阪学芸大学池田分校自治会財政部長A子が高校の後輩であるところから、これへの接近をはかつていた。それを嗅ぎつけた被告Yら三名（内一名は学生でない）はXを追跡し、A子との交際を求める理由をたずねると共に、同大学へ同行を求め、Xが拒絶するやYらが両腕をとり足や腰をかかえ、一〇〇米ほど引ずつて同大学へ引ずり込んだ。当時平野文書事件もあり、思想的情報活動について学生も鋭敏になつていた事情もある。

「これを要するに被告人Yらの前示構成要件該当の所為は、その動機目的において正当であり、その手段方法において相当であるとともにやむをえない限度を超えず、同時に法益の権衡を失しておらず、なおいわゆる緊急性の点を考えてみてもこれを肯認すべきものであるほか、本件の全体を通じて観察するもわが国における社会共同生活の秩序と社会正義の理念に照し毫ももとるところはなく、これを肯認すべきものと考えられる。思うにわれわれは世界の歴史の中から学問の自由を含む市民の自由と権利が如何に長い期間と多くの努力と犠牲の上に与えられ獲得されてきたものであるかを知ることができるとともに……現在及び将来の国民に対し侵すことのできない永久の権利として信託されたものである（憲法九七条）ことを忘れてはならない。……前示所為に関し超法規的に違法性が阻却されたものと認め、いずれも罪とならない……」（大阪地判昭三七・五・二三判時三〇七・一〇五〇八）。

本件では、警官Xは正当な用務で大学を訪れた帰途、大学講外で起きた事件であること、YらはX

の大学構内立入ではなく、A子との接近についての釈明を求めたものであること、被告人のうち一名は大学学生でないことなどの点で、Yらの行為には行過ぎを感ぜしめるものがあるにかかわらず（この点、ポポロ劇団事件、愛知大事件とは趣が異る）判決は超法規的違法阻却事由があるとみとめた。しかし本件行為は違法自救の観が強い。

二　共同絶交

つぎに自力救済の特殊な形態として共同絶交というものがある。広く共同絶交という場合は、取引上のボイコットから、部落共同生活からの絶交、すなわち村八分、村省き、組はずしなどといわれるものまですべて含まれる。これは被絶交者にとつては、名誉、自由に対する侵害であり、またそれによる脅迫ともなる。そして民事上の不法行為による損害賠償の原因となるとともに刑法上犯罪ともなる。従来、民刑両法に亘つて裁判例が相当数みられる。判例は必ずしもこれを常に違法とは考えない趣旨のようであるが、結論的にこれを違法性なしとした判決は下級審のほかはみられない。共同絶交に対する判例の態度は相当きびしい。本来、各人は特定の人と交際または取引するか否かの自由を有するのであるが（これが殆んどすべての被告の抗弁事由の一つとなつている）、決議その他によつて集団の力をもつて強制するところに問題があるとされる。しかしまた特に閉鎖的で人口密度の低い農村などにおいては、自然に共同体意識も強いし、また村民の協力自治の活動を必要とする面が非常に多い。極少数の異端者によつて、協同体意識に動揺を来されることに対しては一村落全体に非常な利害関係をもつ。したがつて村民の結束を固くするために異端者との共同絶交を決意することも、村落自体の自衛ないし自力救済としてやむをえないものではなかろうか（岩崎「村八分について」刑法雑誌六巻二号一六二頁、遠藤「名誉の概念と名誉の侵害における違法性阻却に関する一考察―村八分に限定して」我妻還暦祝賀論集上四二三頁以下は自力救済説を強調している）。

右のような異端者に対する措置としては、事柄の性質上公力救済まで求めうる場合は極めて少ないのであるから、緊急の必要性の有無をとわず、或る程度において、特殊的自力救済として、違法性がないものと解すべきである。その程度は、結局公序良俗の観点から、その原因、必要性、方法などについて綜合的に判断しなければならないが、それも、まず各人の交際の自由と、当該団体の協同体的性質とを前提として、絶交によつて保護される利益と被絶交者の利益との較量に重点をおいて決定すべきものである。

（一）　まず刑事判決からみよう。村八分を名誉毀損罪に当るとする判決がある。

【113】　商業上の失敗から郷党に損害をかけたAと交際するXに対してYらが村八分にする通告をした。

「一定ノ地域ニ於ケル住民ガ吉凶互ニ慶弔シ寒暑相存問スル如キハ普通ノ社交状態ナリト雖モ法律上交際ヲ強要スルノ権利存在セザルヲ以テ一人ガ他人ニ対シテ従来継続シタル交際ヲ謝絶シタリトスルモ之ガ為メニ其人ハ権利ヲ侵害セラレタルモノト謂フベカラザルハ勿論ナリ然レドモ一定ノ地域ニ於ケル住民ガ一定ノ制裁ヲ以テ団結シ其一部ノ人ニ対シテ絶交ヲ宣言スル行為ハ是レ寔ニ其個人ヲ社交団体ノ外ニ排斥シ其人格ヲ蔑視スルノ結果ヲ来シ人ノ社会的価値タル名誉ヲ毀損スルモノナリ」（棄却）（大判明四四・九・五刑録一七・一五二〇）。

つぎには共同絶交は名誉毀損罪にならず、その通告も必ずしも脅迫罪にならぬとする判決が出た。

【114】　選挙に際してAに投票する契約があつたのに、Xほか一名が他の候補者に投票した。Y等はこれに絶交の通知をした。

「然レドモ多衆ガ共同シテ為シタル絶交ハ縦シ被絶交者ノ人格ヲ傷ケ之ヲシテ畏怖ノ念ヲ生ゼシムルトスル

モ刑法第三十四章ニ規定スル名誉毀損罪ヲ構成セザルヲ以テ其通告ハ常ニ必ズシモ脅迫罪ヲ成立セシムルモノニ非ズシテ通告セラレタル絶交ガ違法性ヲ有スル場合ニ限リ該犯罪ヲ構成スルモノトス。蓋シ絶交ハ実際上種種ナル事情ノ下ニ行ハレ其原因モ亦区々ニシテ一定セズシテ背徳ノ行為又ハ破廉恥ノ行為ニ対スル社交上道徳上ノ制裁トシテ一般ニ認メラルル所ナレバ多衆共同ノ絶交ガ正当ナル道義上ノ観念ニ出デ被絶交者ガ其非行ニ因リ自ラ招キタルモノナルトキハ之ニ対シテ救済ヲ与フルノ必要ナク絶交者ガ之ニ因リテ被絶交者ヲシテ義務ナキコトヲ行ハシメ又ハ行フベキ権利ヲ妨害シタル場合又ハ其絶交ガ正当ノ理由ナキトキハ玆ニ初メテ違法性ヲ有スルコトトナルヲ以テ之ヲ被絶交者ニ通告シタル絶交者ノ行為ハ脅迫罪ヲ構成スルモノトス……原院ハ上告人ノ罪ヲ断ズルニ当リテハX等ガ正当ノ理由ナクシテ契約ニ違反シ他ノ候補者ヲ選挙シタルヤ否ヤ従ッテ此場合ニ於ケル上告人等ノ絶交ハ道徳上ニ於テ之ヲ正当トスベキヤ否ヤヲ判断シ之ヲ否定スベキ場合ニ於テ上告人等ノ脅迫罪ヲ認ムベキニ事玆ニ出ズシテ単ニ絶交ノ通知ヲ為シタル一事ヲ以テ上告人ニ脅迫罪アリト断ジタルハ理由ノ不備アル違法ノ裁判ナリ」(破棄差戻)(大判大二・一一・二九刑録一九・一三四九)。

ここでは大審院は道義上の観念にもとづく絶交は違法性がないとして、一概に脅迫罪の成立をみとめた原審を破棄しているのは正しいといわねばならない。

議員選挙にからんで、村の申合せに反した者を村八分にすることがおこなわれがちである。右のほか次の二判決もこれに関する。ここではいずれも脅迫罪の成立をみとめる。

【115】 大正九年衆議院議員総選挙に当りA候補に投票を申合せたが、Xのみ反対候補Bのための運動をしたのに憤激した同町協議員Yが役員会にはかってXを町省きにした、原審で脅迫罪とされたのでYは上告した。「(個人間で交際・不交際は自由であるが)一定ノ地域ニ於テ共同生活ヲ為セル人類ノ集団ガ相結束シテ社会的感情ニ照シテ正当ナリト認ムベキ理由アルニ非ザルニ拘ハラズ些少ノ事由ヲ口実ト為シ集団中ノ特定人及ビ其家族ニ対シテ将来一切ノ交際ヲ謝シ生存資料ノ供給ヲ絶ツベキ旨ヲ決定シ之ヲ通告スルガ如キハ該特定人ノ

人格ヲ蔑視シ共同生活ニ適セザル一種ノ劣等者ヲ以テ待遇セントスルモノナレバ個人ノ享有スル名誉ヲ侵害スル結果ヲ生ズベキ害悪ノ通告ニ外ナラズシテ其受領者ヲ畏怖セシムルニ足ルヲ以テ縦令右通告セル害悪ガ刑法上ノ要件ヲ欠グガ為メニ名誉毀損罪ヲ構成セザルモ脅迫罪ノ成立ヲ妨ゲズ夫ノ個人間ニ於ケル絶交ノ通告若クハ一定ノ社交団体ニ於ケル除名処分ノ通知トハ意義ニ於テ……効果ニ於テ異ルトコロアリ……」（棄却）（大判大九・一二・一〇刑録二六・九一二）。

【116】被告（上告人）四名は、大正一二年の宮城県会議員選挙に当り選挙違反で検挙されたのが、同部落のXらの密告の結果だとして、同部落の親睦講員たるXら父子を除名の決議をした。

「一定地域ニ於ケル住民ノ多衆ガ相結束シテ社会観念ニ照シ正当ト認ムベキ理由アルニ非ザルニ拘ラズ些少ノ事由ヲロ実トシテ……共同絶交の通知をなすのは脅迫罪を構成する……（要旨）」（棄却）（大判大一三・六・二〇刑集三・五〇六）。

つぎに前もって一定の場合には除名すべき特約があり、それにもとづく除名すなわち村八分であっても違法であるとの判決がある。

【117】Y村の壮年団の規約に、団員は除名者との一切の交際を断つこと、もしそれと交際した者は除名等の制裁をうける旨の規定があったが、Xがこの規約に違反して除名者Aに雇われてその仕事に従事したので、Xは恐喝をうけたり絶交された。

「然リ而シテ絶交ノ通知ヲ受ケタル者ガ通告者等トノ間ニ於ケル契約ニ違反シ契約ノ違反者ニ対シテ絶交ノ処分ヲ為スベキ特約ノ存在シタル場合ニ於テモ、猶且絶交ヲ為スベキ正当ノ理由ノ有無ヲ判ジテ其絶交通告ノ違法性ヲ有スルヤ否ヤヲ判定スベキモノニシテ、単ニ特約アルノ一事ニ依リ右通告ノ違法性ガ除却セラルルモノト謂フヲ得ズ（大正二年（れ）第一七〇六事件判決、同九年（れ）第二三四五事件判決参照）。蓋シ正当ノ理由存セザルニ拘ハラズ些少ノ事由ニ依拠シ村八分町省ニ該当スル害悪ノ通告ヲ為スハ其行為自体ガ違法性ヲ有スルモノニシテ、斯ノ如キ違法ノ事項ヲ内容トスル特約ハ毫モ其内容ノ違法タルコトニ変更ヲ来スノ謂レナク、従ッテ相手方ノ意思ニ反シテ如上害悪ヲ通告スル行為ノ脅迫罪ヲ構成スルヤ復タ疑ヲ容レズ」（大判昭三・八・三刑集七・五三三）。

この判決は前以てなした包括的特約の効力を否認した点に特色がある。かかる特約は公序良俗に反するものとして無効と解したためであろうか。これは一種の被害者の承諾とも考えられるが、予め承諾はあつても、被害の際に承諾がないかぎり加害行為の違法性を阻却しないと考えられている。「相手方ノ意思ニ反シテ」というのはそれを意味するのであろう。これらの点はとも角としても、前述の利益均衡の点からみて判決の結論に賛したい。しかし、もしこれが民事上の問題であつたとしたり、特約のある場合には違法性がなくなると考える。

【118】　Xら三名はかねてから道路や倉庫の建設に反対等して部落の協同事業に協力しないため部落民の憤懣の対象であつたが、たまたま供出米補正割当に関して部落のため不利益な発言をしたので、Yら四名が中心となつて部落民全員がXら四名を共同絶交にした。一審でYらは有罪とされたので、控訴し、交際の自由であること、部落の平和と繁栄のためになしたことを主張したが容れられない。

「勿論、前述のような部落民共同の絶交も、社会通念に照らしかかる絶交を受けても止むを得ないと認められるような非行が被絶交者側に存するときは、その違法性を喪失し犯罪を構成しないこと所論の通りである……前記部落のためいわゆる不利益な言辞の内容も……単に同部落に対する供出米補正割当についての意見を述べているに止りそれ自身何等非道義的なものを包含していない。……三名の非協力については夫に斟酌すべき事情が存在したものと言うべく、之等を以て一方的に同人等の非行と断じ部落民共同の絶交に値する事由と認めることもできない。然らば結局、本件絶交に関し、社会通念上該絶交を正当視すべき被絶交者側の非行その他の事由は存在しなかつたものと言うべく、従つて原判決がこれを刑法第二二二条第一項の脅迫罪を構成する違法なものと認定したのはまことに相当である」（棄却）（福岡高判昭二九・三・三一刑集七・二一七）。

この判決においても被絶交者側の非行の程度が大であれば違法性のないことを肯定しているが、その非行がみとめられないとして脅迫罪とされている。しかし非行か否かの判定も、閉鎖性、合理性の多い田舎の村落については、都会人の個人主義に慣れた者の観点から判断する場合は余程の注意が必要であろう。被絶交者が平素から非協力であつた点をも加味して判断がなされたものか否か。疑なきをえない。

【119】　淡路島におけるいわゆるコルホーズ部落の村八分事件と称されたものであるが、里組部落で山林管理組合の決議に従わなかつた五名の組合員が組合の配当から除外されたのでそれの要求の仮処分を申請したことから、その五名が村八分にされた。一審では、一部落の全員または大部分が共同で絶交しなければ脅迫罪にはならない。隣保の一〇軒程が、しかも漠然たる申合せをした程度であるから犯罪性がないと判決した。しかし二審ではこれをくつがえし、破棄自判した。簡略にその要旨をのべると、

「他人と交際すると否とは本来各人の自由に属するが、同じ地域の多数者が結束して、特定の一人または数人に対して、村八分を決定し、通告することは、本人の自由と名誉とを阻害する害悪の通告であるから、この通告に社会通念上正当視される理由があれば格別、しからざる限り脅迫罪が成立する。脅迫罪となるのは多数者が共同の意思で通告すれば足るのであつて、その集団社会の広狭、居住者の多寡によつて犯罪の成立が左右されるものではない。地域が狭ければむしろ交際関係は緊密度が高いから、自由及び名誉に対する脅威はより深いといえる。右五名が仮処分を申請したからとてこれがため村八分にされるいわれはない。被告等の行為は暴力行為等処罰に関する法律第一条第一項に該当する。絶交通告の言語、態度の微温的なことや隣保一〇軒余の間の共同絶交にすぎないことなどは、犯罪不成立の理由とならない」（破棄自判）（大阪高判昭三二・九・一三刑集一〇・六〇三）。

と判示した。これに対して被告らは上告したが、最高裁においても、上告は理由なしとして棄却さ

れ、第二審判決が確定した（最判昭三三・七・三判時一五四・四四四一この判決では特別な理由は示されていない）。

ここでも一審と二審・三審とが判決を異にしている。田舎では殊に訴訟によつて問題を解決することを非常に嫌う気風がある。そこで五名が仮処分を申請したので極度に憤慨したものと思われる。多数者の言語や態度の微温的と絶交範囲の狭小とが一審判決の無罪理由である。社会通念上認容しうるか否かの限界はむつかしいが、民事上の問題としてならば格別、刑事問題としてはかなりゆるやかに考えてよいのではあるまいか。

（二）　つぎに民事上の問題としては、名誉・自由などの人格権侵害にもとづく損害賠償の問題となるわけであるが、これについても、判決は殆んど結論的には違法とする。

【120】　某村の某区において、大正三年頃、村費の補助をえて道路を開設する場合に、区民Xが地所二十間ほどを提供するのを拒むため、郡長が三回に亘つて説得したが奏功せず、ついにその部分だけ工事が出来ず、補助も取消され、今日まで開設できない。Y等七人が中心となつて区民集会を開き申合規約書を作り、Xを「組外ズシ」とした。XはY等七人を訴え、損害賠償を請求した。一審ではXは敗訴したが、二審では勝訴し、三審でも同様となつた。

「Y等ハXニ対シ交際上所論ノ如キ各自ノ自由意思ニ基キ行動シタルニ非ズシテ、部落民中数多ノ者ト協力同盟シテ絶交シ、以テYノ社交上活動シウベキ自由ヲ妨ゲ、且ツYヲ社交上ヨリ擯斥シテ其社会ヨリ享クベキ声価ヲ受クルコトヲ得ザルニ至ラシメタルモノト謂フ可ク、其行為ハ即チ故意ヲ以テ被上告人ノ自由及ビ名誉ヲ害シタルモノニ外ナラザルヲ以テ、民法第七〇九条及ビ第七一〇条ノ規定ニ依リ不法行為ヲ構成シ、上告人等ハ其責ニ任ジ、之ガ為メニXノ受ケタル精神上ノ損害ヲ賠償スルコトヲ要スルハ当然ナリ、……苟モ上告人（Y）等ガ原判示ノ如キ行為ヲ以テ被上告人Xノ自由及ビ名誉ヲ害シタル以上ハXガY等及ビ其他ノ部落民ト親交スルノ意思ヲ有シタルト否ト又親交スルニ足ルベキ行動ヲ執リタルト否トヲ問ハズ、不法行為ヲ構成ス……縦令……道路開設ノ計画ニ対シXノ執リタル行動其当ヲ得ザリシトスルモ之ガ為メニY等ノ為シタル右行為ハ不法行為タルコトヲ免レザルモノトス……」（棄却）（大判大一〇・六・二八民録二七・一二六〇）。

この判決は被絶交者の態度の如何を問題としていない。したがつて、共同絶交は相手方の態度の如何を問わず、常に違法性を有するものと判定している如くであるが、それには賛しえない（前記【114】の判決の態度が望ましい）。本事案において、個人の財産を提供すると否とは法律上は個人の自由であるが、貧しい農村における共同生活では、提供を強いられる不合理性の甘受も、やむをえないことがあろうと思われる。個人主義的合理主義的な都会人には理解し難いものがあろうが、これにもとづいての共同絶交を不法行為とは必ずしも言いきれない。本件は一審ではXが敗訴しているが、一審裁判所は恐らく村落共同体の実態に着眼して判決したものと思われる（なお本判決の評釈において穂積博士も大審院判決に疑問を投げていられる。判民大正一〇年度一〇八事件）。

【121】　被告Y等は神戸のバナナ卸売業者であり、神戸芭蕉加工組合を組織して台湾バナナの一手販売業者となつていた。原告Xは台湾人で、台湾青果を卸小売販売していたが、組合に入らず、神戸中央市場または台湾から直接仕入れていた。Y等は自衛手段としてXをボイコットし、違反した者とも取引を停止することとした。Xは損害賠償を求めて訴を起した。一、二審ともにX敗訴。二審判決は、「中央市場仲買人は厳重な営業上の監督に服し、場外業者と比べて甚だ不利益な地位にあるから、右の取引停止は営業上の利益を擁護するためのやむをえない自衛行為である。とつた手段も強要したものとはいえないから公序良俗違反ではない」旨を判示した。XはY等が仲買人たる地位を濫用するものだとして上告した。原審破棄。

「中央卸売市場法ヲ公布施行シ神戸市条例神戸市中央卸売市場業務規程ヲ設ケテ神戸市中央市場仲買人ニ限リ神戸市中央市場ニ於ケル特殊商品ノ仲買業務ニ従事シ得ベキコトヲ定メル所以ノモノハ此等商品ノ円満ナル

配給ト価額ノ適正ヲ期スルニ存シ仲買人ノ個人的利益ヲ擁護スルコトノミヲ目的トスルモノニ非ザルヲ以テ此等市場仲買人ガ正当ノ事由ナクシテ特定人ニ対シ販売取引ヲ拒絶スルガ如キハ社会観念上自己ガ正当ニ為シ得ベキ行動ト認ムベキ範囲ヲ逸脱スルノ結果、仲買人トシテ有スル独占的地位ノ濫用ニ堕シ、公ノ秩序ニ反スル違法ノ行為ト云ハザルベカラズ。原審ハ被上告人Y等ガ……已ムヲ得ザルニ出デタル自衛行為ナル旨判示スルモ……（Y等が悲境に陥った証拠が不十分で、取引拒絶を正当化す事由不明である。原審は正当防衛と考えているようだが、営業は自由だから、一営業が他営業に対し不法行為又は不正競業とならざる限り）他ノ営業者ハ自己ニ許サレタル範囲方法ニ従ヒ自ラ其損害ヲ回避克服スルノ外ナク、公力ニヨリ又ハ防衛的加害行為ニヨリ之ヲ排除救済シ得ベキモノニ非ズ……（Y等の行為を正当防衛となしえない）」（破棄差戻）（大判昭一五・八・三〇民集一九・一五二一）。

これは商業上のボイコットであるが、日常生活の全般に亘る前記の村八分に比べ、取引の面に限定されたボイコットは違法性の程度が低いのが一般といえよう。そして基本的に自由競争が許されている以上は、一方で営業の自由をみとめるとともに、他方で仲買人組合員のみが自衛的にボイコットをすることもやむをえないことと考えられる。原審判決が自衛行為とみとめたのはこの点を重視した結果だと思われる。しかしまた仲買人制度の基本に立ちかえって、統制的、独占的地位であるとすれば、それの濫用は許さるべきでない。大審院はこの点を重視したものと思われる。問題はこの仲買人制度の趣旨にあるのであって、賛否は決しにくいが、自由競争の基本的な考え方においては、原審のように考えるのが妥当かと思われる（本判決の批評、末川・民商法雑誌一三巻三号四六九頁、我妻・判民昭一五年度八九事件参照）。

戦後、米の供出との関連において村八分とされた民事事件がある。一審と二審で判示が異なる。

【122】昭和二〇年度の供米以来Xは毎年成績が挙らず、供出不完納で、それが部落全体に影響し、他の部落民はこれを不快としていた。たまたま村長から追加供出を懇請された際にXは超過供出の取扱をしてくれなけ

れば供出しないと頑張つたので、追加供出を諒承していた他の部落民にも動揺を来した。そこで被告Yらは部落民三十四名を招集し、投票の形式で以後Xとは別行動をとる旨決議した。Xは慰藉料と謝罪広告とを要求して訴を起した。

「村八分とか村省きとかいうのは社会的感情に照して正当な事由がないのに些細のことを口実として一切の交渉を絶つことで名誉を毀損する場合である。本件事案は、供米その他のことでYらはXとは、対村役場関係で別個の行動をとること、言いかえれば別個の部落を結成することを決定したにすぎない。Xの供出不完納などでYら部落民が不快の念をいだいていた事実もあり、前認定の処置に出たことは社会感情上是認せられる程度のもので決して違法ではない。Xらは日常生活では何等支障ない程度の交際をしているから所謂村省きに該当しない（要旨）」（棄却）（宇都宮地判昭二五・一(日付不明)下級民集一・一二六）。

ところが二審ではこれがくつがえされた。

「（部落という）この地域的共同団体こそ人類の社会生活の基盤をなすものであつて、その一員として社会生活を営むことは人類の奪うことのできない権利であるというべく、従つて法の正当なる手続を経ないで単に住民多数の意思を以て他の住民からこの権利を奪い、または極端に制限し、ある意味における追放処分に附することは許されないことである。……一住民が交際しないことは自由であるが……一部落四十五世帯中三十四世帯という絶対多数の住民が……何ら交際しないことを決定し……実行することは、部落なる共同団体の自治的になしうることの範囲から逸脱する……その動機が控訴人の供出不協力に基因し控訴人の反省を求めるにあつたとしても、右事実は右共同絶交の決定並びに実施を正当化するに足らぬものというべきである。……法治主義の原則の重大なる要請であるからである。従つてかかる共同絶交が他に特段の事由なき限り不法行為を構成することは疑いなきところであり、被控訴人ら主張の諸事実は未だ以てこれが成立を阻却する事由となすに足らぬ（Yらは連帯して慰藉料金一万円をXに支払う義務がある）」（取消自判）（東京高判昭二七・五・三〇下級民集三・七三〇）。

米の供出は決して合理的に計算通りになるものではなく、過不足は村全体の責任において解決しなければならない場合が多いと思われる。それに対する村民のあり方を探究して共同絶交の是非も解決されるべきである。判決は地域共同生活の権利を一方的に奪いえないものとしているが、それに対する或る程度の代償・犠牲も払われねばならないことを看過すべきでない。この点において二審判決に疑問をもつ。

【123】地主Xが小作人A等数名に小作地返還を要求したので、XA等所属の農民組合がXを組合から除名し、組合員は今後Xに対し労力及び機械器具の提供など一切の協力をしない旨を決議、実行した。さらにXが協力を求めた他部落民に対してまで協力中止を要求し、日常交際もなるべく避けた。

「本件除名処分のなされた直接の原因が……小作地の返還方を請求したことに因るもの……Y等某郷班員としては、農民として最も重大な利害関係をもち、且つ当該本人にとつては殆んど致命的な結果をもたらす小作地の取上げということを防止する目的を以て、所属組合員の利益を擁護するため止むを得ず本件処分という対抗手段を採らざるを得なかつたものであることは充分に察知することができる。然し……Y等はXを除名したに止まらず、前記決議の内容をすべて現実に実行し、更にはその決議に係る事項以上に遙かに強くXら一家に対して集団的圧迫を加え、その結果X一家を事実上村八分として差別待遇をなし、Xらの人格権及び自由権を不当に侵害したものと謂わざるを得ないのであつて、その行為の趣旨、目的が地主であるXらの小作地取上げの意図を挫折せしめることにあつたとしても、X等の権利を侵害することが右認定のような域に達している以上、YらのXらに対する集団的差別待遇は法律上共同不法行為として観念せざるを得ない。被告らは連帯して原告らに対しそれぞれの精神的苦痛による損害を賠償しなければならない」（高松地判昭三〇・三・一判時六一・一六二六）。

本判決では、被絶交者の態度と絶交の程度・内容との比較、両当事者の利益の較量がなされた上で、やはり絶交を違法としている。判決の態度としては妥当である。また結論としても妥当と考える。地主は正当な事由があれば府県知事の許可をえて小作地の返還を要求しうるのであるし(農地二〇)、これに対する小作人側の対抗策としては、先ず話合いをしてみるべきである。それがきき入れられない場合であれば、かかる共同絶交もやむをえない対抗策として許されるべきではないであろうか(労働争議と同じように)。

簡易裁判所判例

高等裁判所判例

地方裁判所判例

区裁判所判例

判　例　索　引

大審院判例

最高裁判所判例

控訴院判例

著者紹介

明石三郎（あかし さぶろう） 関西大学教授

総合判例研究叢書　民　法 (21)

昭和38年10月5日　初版第1刷印刷
昭和38年10月10日　初版第1刷発行

著作者　明　石　三　郎

発行者　江　草　四　郎

東京都千代田区神田神保町2ノ17
発行所　株式会社　有　斐　閣
電話 (331) 0323・0344
振替口座東京370番

新日本印刷・稲村製本

総合判例研究叢書 民法(21)
(オンデマンド版)

2013年1月15日　発行

著　者　　明石　三郎
発行者　　江草　貞治
発行所　　株式会社 有斐閣
〒101-0051　東京都千代田区神田神保町2-17
TEL　03(3264)1314(編集)　03(3265)6811(営業)
URL　http://www.yuhikaku.co.jp/

印刷・製本　株式会社 デジタルパブリッシングサービス
URL　http://www.d-pub.co.jp/

AG474

ISBN4-641-91000-6　Printed in Japan